JN120238

物語考異様な者とのキス
円堂都司昭
作品社

物語考　異様な者とのキス

まえがき

これは、「異様な者と出会う物語」について考える本である。異なった種類の存在と結婚する異類婚姻譚のほか、極度に醜かったり特殊能力を持っているなど、人間とは思えない相手と結ばれる物語は、昔から好まれてきた。本書では、そうした「異様な者と出会う物語」が、人気を得る理由を考えていく。なかでも六つの代表的な物語をとりあげ、それらの元型が小説や映像、舞台などへアダプテーション（改作）される際、どのように変化したか、また近似した要素を有するべつの物語とどのような対比をみせているかを、物語の構造、心理的な意味、社会との関係などから多角的にとらえることを目指す。

主にとりあげたのは、アダプテーションの過程でいずれもミュージカル作品を生み出した六つの物語だ。「異様な者と出会う物語」では、相手の異様な見た目、人間ではありえない力の発現、実体の欠落など、肉体の具体性や運動性が問われる。その意味で「異様な者と出会う物語」のアダプテーションが、人々の前に身体をいかに提示するかを一つの焦点とする演劇へと到達するのは当然であろうし、物語の特徴がよく現れる表現スタイルだと考えられる。また、人間の現実に、この世に属するとは思えない異様な者が登場する混交ぶりは、生身の人間が行動する現実性に、歌や踊りといった非日常的な虚構性がたびたび侵入するミュージカルと類比的である。それは「異様な者と出会う物語」が、ミュージカルという表現ジャンルから好まれる理由だろうし、考察の対象とする物語を選ぶ領域としてふさわしい。

加えて終章では、異様な者は登場しないものの「異様な者と出会う物語」に近似した要素を持つ物語など、周辺の事情に触れ、テーマをさらに追及した。

一連の物語の多くで展開の鍵となるのは、キスだ。息を吹きこむ、息の根を止める。命を与える、命を奪う。愛玩動物などを除けば、基本的に人が人にするものだと思われているキスを、自分を脅かすかもしれない異様な者にする場合、それは相手との関係に一つの決断をしたことを示しており、命をめぐる二者択一がなされている。「異様な者と出会う物語」において最も緊張が高まる一瞬だ。あなたが手にした、異様な者にシンパシーを寄せる本には、そのキスをめぐる魅惑と畏怖が書かれている。

物語考　異様な者とのキス＊目次

第一章　獣性　変身――『美女と野獣』

美しい女性が、野獣の住む城にとどまることを強いられる。彼女は相手の姿を恐ろしく思うが、やがて彼の優しさを知り、愛するようになった。実は高貴な王子が魔法にかけられ野獣にされていたとわかる。二人は結ばれ、幸せに暮らす。

彼女はなぜ城に閉じこめられたのか

右記が『美女と野獣』に関して一般的に知られている内容だろう。違ったカテゴリーの存在と人間が結婚するという、様々な異類婚姻譚が先行して流布していたなかで成立した物語だ。その祖型は、アプレイウスによる古代ローマのラテン語文学『黄金のロバ』(二世紀後半)におけるクピードーとプシュケー(「愛と魂」の意)の挿話だとされる。クピードー(キューピッド)はアモールとも呼ばれ、ギリシア神話ではエロスにあたる。

ある王の末娘プシュケーは美しかったため、美の女神ウェヌス(ヴィーナス)の怒りを買う。ウェヌスは息子である愛の神クピードーにプシュケーが卑しい男と結ばれるように愛の矢を使えと命じる。だが、誤って自分を傷つけたクピードーは、プシュケーを愛してしまう。プシュケーに求婚者がないのを心配した父王と王妃は、アポロンから「山頂に娘を置き、神々も恐れる蝮のごとき悪人と結婚させよ」との神託を受ける。それに従ったプシュケーは、山頂の宮殿で歓待されるが、毎晩寝所をともにする夫の姿を見ることができない。彼女は家族恋しさから夫に泣いて頼み、姉たちを招く。夫が姿をみせないのは大蛇だからだと、姉たちはいう。信じたプシュケーが、殺してしまおうと寝所で剃刀を持ち燭台の灯りをかざすと、そこにいたのはクピードーだった。怒った彼は飛び去るが、その後、紆余曲折の末、プシュケーと結ばれる。

異類婚姻譚の代表的な例である。強要されて普通ではないものと一緒に過ごすことになり、やがて怪物だと思っていた相手の意外な正体を知る。そうした大筋を『美女と野獣』はクピードーとプシュケーの物語から受け継いでいた。フランスで書かれた『美女と野獣』はヨーロッパの昔話のように思われているところがあるが、もとは小説である。ヴィルヌーヴ夫人（ガブリエル＝シュザンヌ・ド・ヴィルヌーヴ）が一七四〇年に刊行した長編小説『若いアメリカ娘と海の物語』の登場人物が作中で語る昔話の一つが、『美女と野獣』だった。それをボーモン夫人（ルプランス・ド・ボーモン）が書き改め、十六年後の一七五六年から刊行し始めた教育読本『子どもの雑誌』に載せた。世界的にポピュラーになったのは後者であり、アメリカ発のディズニー版をはじめ後に生み出された多くのアレンジ作品が参照したのも、ほとんどボーモン版である。日本でも事情は変わらず、ヴィルヌーヴ版の完訳が発表されたのは、ようやく二〇一六年になってからだった。

ボーモン版の普及以降、『美女と野獣』は野獣が本来の姿である王子に戻って大団円を迎えると思われているが、ヴィルヌーヴ版ではその後もストーリーが続き、王子とベル（美女）それぞれの家族をめぐる過去の事情が明かされる。人間だけでなく妖精、動物など登場するキャラクターが多く、筋立てが複雑なファンタジーだ。一方、ボーモン版は、ベルの兄と姉の人数をヴィルヌーヴ版の六人と五人から三人と二人に減らすなど登場キャラクターも内容も大幅に刈りこみ、相手を見た目で判断してはいけないという教訓を核にして、子ども向けのシンプルな短編にまとめている。

ヴィルヌーヴ版とボーモン版で共通する部分を抜き出してみよう。主人公ベルの父は商人で母はいない。兄たちと姉たちがいるが、兄たちの存在感は希薄である。姉たちは家が裕福であるのをいいことに社交に現を抜かし、自分たちにはよい縁談があるだろうと高望みしているが、末娘のベルは家事をよくするうえに読書好き。高慢な姉たちと勤勉で慎ましいベルが対比される。

父の商売は傾き、家の財産のほとんどを失ってしまう。それでも姉たちは裕福だった頃の夢を見続けて不満ばかりいい、家事を喜んでひき受けるベルを馬鹿にした。ある時、商売が好転しそうな知らせが届き、父は出かけることになる。彼は娘たちに土産になにが欲しいかを問い、姉たちは服や装飾品など贅沢なものをねだるが、ベルはバラ一輪を望むだけだった。結局、期待は潰え、失意の父は雪が降る帰り道で迷い、不思議な城に入りこむ。誰の姿もないが部屋には火が焚かれ、食事が用意されていた。暖をとり休息をえた彼は、帰りがけにベルのため、城の庭に咲いていたバラを摘もうとした。すると野獣が現れ、お前は盗人だと激怒する。野獣は、お前のかわりになる娘を連れてくれば許すという。恐ろしさで父は野獣と約束してしまい、帰って家族に経緯を話したが、誰も身代わりにせず自分が城に戻るつもりだった。姉たちはバラなんかを望んだせいだと妹を非難し、ベルは父への愛情から自ら進んで城へ行くことを選ぶ。

以上が、ベルと野獣が一緒に暮らすことになるまでのヴィルヌーヴ版とボーモン版に共通する流れである。クピードーとプシュケーの物語の場合、プシュケーはアポロンの神託に従って山に運ばれたことで、姿をみせない夫のいる宮殿で暮らすことになった。それに対し『美女と野獣』では野獣の命令に応じてベルは城へ行く。アポロンという神、恐ろしい姿をした野獣という圧倒的と感じられる存在への畏怖が、彼女たちにその選択をさせる。

また、ヴィルヌーヴ版とボーモン版でポイントになるのは、脅されたためとはいえ、娘を身代わりにすることを父が野獣と約束してきたことだ。これと似たシチュエーションが、日本のよく知られた古典の発端になっていた。江戸時代の曲亭（滝沢）馬琴による読本『南総里見八犬伝』（一八一四－一八四二年）では、安房国（千葉県南部）の武将・里見義実が戦で劣勢になり、飼い犬の八房を相手に、敵将の首を獲ってきたら娘の伏姫を嫁にやると戯言をもらす。八房は実際に首をくわえて帰る。その後、義実が御馳走を与え世話役をつけるなどどんな褒美をやっても、犬は約束を果たすよう求め猛り狂う。義実は八房を殺そうとするが、とめたのは伏姫だった。君主が約束を言葉通り守らなければ民の信用をえられないと父を諌め、娘は犬とともに山奥へ旅立つ。作中では、君主に求められる道理を父に果たさせようとして孝行娘が嫁入りを決意したと意味づけられる。道徳観が行動原理となるのだ。

一方、『美女と野獣』において姉たちは、父がバラを摘む原因を作ったベルが身代わりになるのは当然だと思っている。彼女たちは以前からいい子の妹が気に入らなかったのである。兄たちは城へ行って野獣を退治すると申し出るが、父は勝ち目のない敵だからやめろという。だからといってベルが城へ行く決断をするのは、姉たちに責められたためではなく、父への愛情からだと作中で強調される。ヴィルヌーヴ版でもボーモン版でも野獣は、娘が自分の意思でくることを要求するという設定だ。父の約束はあるにしても、ベルは嫌々でもしかたなくでもなく、実家から出ることを選ぶ。娘の自発性は、『八犬伝』と共通する。

クピードーとプシュケーの物語をふり返ってみると、プシュケーはアポロンの神託に従って山頂へ行ったのではあるが、父母は娘に求婚者が現れないことを心配して神託を受けたのだった。これに対し、『美女と野獣』では自分たちによい縁談がくるのは当然だと高望みし続けるのは姉たちであり、ベルは自分の結婚よりも父をはじめ家族の面倒をみることを優先している。だが、家族から離れ、城で幽閉される生活を余儀なくされた妹は、やがて愛するようになった野獣が実は王子だったと知る。結果的に結婚することに失敗する姉たちとは反対に、末娘のほうが夫とするのに望ましい相手と出会うことになるのだ。

特にボーモン版の場合、話が収録された『子どもの雑誌』が、貴族の子女の教育を意図した出版物だった。『美女と野獣』をはじめ、そこに掲載されたボーモン夫人の短編ばかりを集めた本が日本でも複数種類刊行されているが、どの童話も特定の価値観の下で書かれていることがわかる。見た目、才能、贅沢、吝嗇よりも真摯であることや思いやりの価値を説き、野心よりも分相応をよしとする。それが家族としての幸せやよき結婚につながるといったパターンが繰り返されるのだ。登場人物が魔女（仙女）によって姿や意識を変えられる展開が散見されるとはいえ、奇想より教訓が目立つ話が多い。そのなかで『美女と野獣』が秀でていると感じられるのは、城の主の恐ろしい姿と囚われた娘の可憐さの対比のほか、ベルがもといた家と不思議な城を往還し、野獣が王子に変身するといった場面転換が鮮やかで、ヴィジュアル面での想像力をかき立てるからだろう。

そうだとしても、広く普及したボーモン版のおとぎ話のベースにあるのが、親孝行や良妻賢母をよしとする旧来的で保守的な規範意識であることは否めない。後の時代のディズニー版は、価値観をアップデートし女性主人公に現代的な自立心と行動力を与えて新たな普及版となっていく。だが、それについて語る前に、ボーモン版にヴィルヌーヴ版やクピードーとプシュケーの物語の要素を加えるようにして耽美的なアレンジを施した、ジャン・コクトー監督の映画版『美女と野獣』（一九四六年）に触れておきたい。ディズニー版がコクトー版から受け継いだ要素は、少なくないと感じられるからだ。

人ならぬもの・獣性・分身

詩人、小説家、劇作家であるコクトーの映画版で目を引くのは、画家のクリスチャン・ベラールが担当した美術だ。コクトー版は、城に野獣しか住んでおらず城内では彼とベルの二人きりのやりとりになるボーモン版をベースとしている。ただ、壁から延びた腕が燭台を支えていたり、彫刻をよくみると本物の顔だったり、調度品として城のあちこちに生身の人体がまぎれこんでいた。そのような環境でベルは、城からのもてなしを受ける。

ヴィルヌーヴ版には、王国で起きたことを隠すため、妖精が城にいた生き物すべてを彫像にする魔法をかけるくだりがあった。また、城にいる小鳥や猿などがベルの世話を焼く設定だった。コクトー版は、それらのモチーフを、モノ化した人体の美術へと組みかえたような形である。ただ、人体はいずれも喋らず静かに控えているだけだ。毎夜、プシュケーのそばにやってくるのに夫＝クピードーが姿をみせないといった気配だけの不気味さが、無言の人体が点在するコクトー版の城にも感じられる。ヴィルヌーヴ版の動物たちが人語を操りベルの話し相手になった微笑ましさのほうは、調度品や道具に変身させられた城の召使いたちが彼女の味方になる、後のディズニー版に受け継がれたといってよい。

ちなみにボーモン版の結末では、ベルに意地悪した姉たちは魔女によって城の石像にされ、妹の幸せを見せられ続ける罰を受ける。コクトー版の姉二人も、野獣がベルに渡した鏡を覗くとそれぞれ老婆、猿が映る場面があり、変身するのは野獣=王子だけではない。それぞれがどのような姿をとるかに関し、超越的な力が働いている世界なのだ。

コクトー版では、シャルル・ペローの童話集に版画家ギュスターヴ・ドレが制作した挿絵や、ヨハネス・フェルメールの絵画などから着想を得たベラールの美術が、おとぎ話らしいシュールレアリスティックな雰囲気を生んでいた。また、モノクロ映画における光と影が、モノ化した人体の生きる自由を奪われた硬直感をよく表現していた。一方、物語の焦点となる野獣は、監督の愛人でもあったジャン・マレーが毛むくじゃらのメイクアップで演じている。その姿に関しては当初、牡鹿にする案もあったがベラールは肉食獣がふさわしいと判断し、見た目が怖くなりすぎないようにコクトーが手直ししたという。モデルになったのは、マレーの愛犬ムールクだ。城には直立で二足歩行する獣がいて、モノと化して歩かない人体がある。そのことが、生きる人間の不在と野獣の孤独を示している。

考えるべきなのは『美女と野獣』における野獣の獣性とはなにかだ。城に迷いこみバラを一輪摘んだベルの父親に野獣は激高し、娘を身代わりにするよう追いこむ。ただ、脅す野獣は、人間には敵わない圧倒的な力があると感じさせはするものの、父やベルに暴力をふるう場面はない。それはヴィルヌーヴ版、ボーモン版、コクトー版に共通する。アメリカの心理学者ブルーノ・ベッテルハイムは、『昔話の魔力』(一九七六年)で主にボーモン版を考察し、野獣について「その題名にもかかわらず、獣めいたところが全くない」と指摘した。そのうえで、手折られたバラは処女性の喪失を象徴し、このおとぎ話は娘の愛情の対象が父から夫へ移行する成長の過程を語っていると、精神分析の枠組みで読み解いた。

なるほど、姉たちが自分によい縁談がくることを望んでいるのに対し、ベルは父の世話を気にかけていた。城に囚われてしばらくした後、ヴィルヌーヴ版では家族恋しさのため、ボーモン版では父が死ぬほど悲しんでいることを知ったため、ベルは一時的な里帰りを野獣に愁訴して受け入れられる。実家に戻った彼女は野獣との約束通り、間もなく城へ帰るつもりだったが、豪華な衣装や宝飾品が用意された城で暮らす妹に嫉妬した姉たちは、悪意を持って引きとめる。しかし、ベルが帰らないことに絶望した野獣が死にかけているとわかり、彼女は城に戻ることを選ぶ。城と家は離れているものの、魔法によってベルは遠くでなにが起きているかを知るからだ。

コクトー版では、家に帰ったベルが寝床に弱々しく横たわる父に寄り添い、城へ戻った直後には庭に倒れ瀕死だった野獣に寄り添う。このおとぎ話は、娘は父をケアする立場から夫をケアする立場へ移行するものだと、家父長制的な価値観を示唆しているととらえることができるのだ。ヒロインは、初めは恐ろしかった野獣が自分に優しいことを理解し、受け入れる。彼女の愛が示されたことにより、野獣は本来の王子の姿に変身する。精神分析的観点からは獣性は性の暗喩であり、物語展開はその拒否と受容をあらわすと解釈できる。

一方、ヴィルヌーヴ版とボーモン版は、ベルが勉強好き、読書好きなのとは対照的に野獣は愚かだと設定していた。コクトー版はベルを特に勉強好きとはしていないが、姉たちより思慮深いことは表現されている。そして、ボーモン版をなぞってコクトー版の野獣は、ベルを相手に「私は醜いだけでなく知性がない」と愚痴めいたことをいう。

三つのヴァージョンのいずれでも野獣は、城に住まわせたベルにたびたび求婚し、彼女はそれを拒絶する。ヴィルヌーヴ版で彼が「一緒に寝させてくれませんか」とあけすけないいかたをするのも、愚かさゆえだろう。王子が魔法で変身させられた結果が野獣であり、女から愛されれば元の姿に戻れる。『美女と野獣』はそうした異類婚姻譚の基本パターンの一つを踏襲しており、野獣がベルに求婚を繰り返すのもそのためだ。このおとぎ話の原典であるヴィルヌーヴ版は、魔法で王子が異類に変えられた際、人間の姿だけでなく知性も奪われた設定にした。見た目が劣るかわりに相手を才気で魅了するという手段がとれない野獣は、善良さ、優しさで求愛するしかない。野獣のこの性格は、ボーモン版、コクトー版に受け継がれ、獣性は愚かさの比喩的表現ともなっている。しかし、求婚を断ったからといって、彼は暴力をふるったりしない。むしろ自分が愚かであることを恥じ、引け目を感じている様子だ。善良で心優しい野獣は、醜い獣の姿であるゆえに潜在的な暴力性を確実視されるが、作中でそれは発現しない。ボーモン版では野獣とベルが次のように会話する。

「わたしは心根はやさしいのだが、怪物なのだ」
「あなたより怪物的な人は大勢います」

（『美女と野獣』村松潔訳）

ボーモン版の作中に「あなたより怪物的な人」が具体的に登場することはないが、引用部と同様の会話が出てくるコクトー版には、野獣より怪物的といえる人物が登場する。ベルの兄の悪友アヴナンだ。映画では、暴力的な人物に描かれたアヴナンと、野獣およびその元の姿である王子は、いずれもジャン・マレーが演じた。野獣とアヴナンは分身的関係と位置づけられていたわけだ。

分身のモチーフはボーモン版にはみられず、ヴィルヌーヴ版にはあったもののコクトー版と異なる形だった。ヴィルヌーヴ版では、野獣の城に等身大の王子の肖像画が飾られていた。城で暮らすようになったベルの毎夜の夢には、その王子が登場するようになる。彼女は野獣の優しさに好感を持ち始めると同時に、ハンサムな王子に魅かれていく。だが、「あんな怪物が世の中にとって何の役に立つのです」(『美女と野獣オリジナル版』藤原真実訳)という王子の言葉に反発するなど、ベルの気持ちは彼と野獣の間で揺れ動き、三角関係の図式になる。後に野獣と王子は、同一の存在と判明する。それなのに彼らは、互いを知らない二重人格的な状態だった。ここでは、野獣－醜さ－愚かさ＆善良さと王子－美形－知性が拮抗している。

一方、コクトー版では美男のアヴナンが野獣よりも怪物的なキャラクターに造形され、クピードーの道具であった矢のモチーフもとり入れられている。映画の冒頭ではベルの兄リュドヴィクと悪友アヴナンが、庭で的を弓矢で射る遊びをしている。だが、決められた線の前に出て射ようとしたアヴナンを、リュドヴィクがとがめ突き飛ばしたため、矢の方向がそれて開いた窓に入ってしまう。アヴナンのずるさと暴力性を印象づけるシーンだ。

矢は室内にいた飼い犬のすぐそばに刺さり、近くにいた姉たちは怒る。だが、アヴナンが心配するのはベルについてだけである。矢の誤射を物語の発端にしたのは、クピードーとプシュケーの話と共通する。だが、クピードーの矢が愛を意味したのに対し、アヴナンの矢は暴力性を象徴するのだ。彼はベルに求婚するが、彼女は父の傍にいたいといって断る。クピードーとプシュケーのようには結ばれない。アヴナンは、妹への求婚に怒ったリュドヴィクをなぐり(この時もベルは兄に寄り添いケアする)、ベルの姉フェリシーと口論になった際も彼女の頰を殴る。恋のライヴァルである野獣を倒し、彼の財宝を奪いたいアヴナンはリュドヴィクとともに城へ行く。だが、ディアーナの彫像が動いて弓で射た矢を受け、姿が野獣に変じる。入れ替わるように直後、ベルに寄り添われた野獣は、王子に変身するのだ。アヴナンと同じ顔になった王子は、自分が野獣の姿になったのは、魔女を信じなかった父王への復讐としてそうされたのだと説明する。劇中で父王や魔女がクローズアップされることはなく彼らは登場しないままなので、この説明はとってつけた感が否めない。それに対し、アヴナンがなぜ野獣になるのかは語られないとはいえ、野獣以上に怪物的な人間はいるというベルの言葉が変身の意味をほのめかしている。野獣の暴力性は潜在的なレベルにとどまっていたが、アヴナンは実際に暴力をふるったのだ。それが罰を受けるごとき変身を招いたと、観客は了解できる。

ヴィルヌーヴ版の三角関係は、王子が夢のなかの存在で野獣の別人格であったから擬似的なものにとどまっていたのに対し、コクトー版ではアヴナンというキャラクターを登場させ具体化した。また、獣性にまつわるテーマとして愚かさだけでなく暴力性を顕在化させ、それを野獣の分身的なライヴァル・キャラクターに割りふって視覚的にアピールした。これらの点は、ディズニー版に受け継がれる。

ケーキを焼かないベル、学習する野獣

ディズニーは一九九一年に『美女と野獣』をアニメーションで映画化したが、二〇一〇年のブルーレイ化では、実際は作品に採用されなかった「もうひとつのオープニング」がボーナス・コンテンツになっていた。イギリスの監督リチャード・パーダムによるその別案は、手描きの絵コンテと音声が収録されており、父が城に入りこみ野獣と出会う直前までを追っていた。裕福な商人だった父が事業に失敗し、家族が

窮乏生活に一転するプロローグは、ボーモン版を引き継いでいる。ただ、ベルに兄姉がいないかわりに妹が一人いて、父の姉が同居する家族構成にされていた。伯母は、ベルを金持ちと結婚させ豊かな暮らしをとり戻したいと欲している。ベル本人は嫌がっている夫候補は、経済的に立場が上であるゆえに高慢な態度をとるガストン侯爵だ。

ボーモン版では、家事を妹に押しつけ意地悪をする姉たちが結婚に関し高望みをしているのに、理想の王子と出会い愛しあうのは妹だった。この骨格が共通するおとぎ話『シンデレラ』をディズニーは一九五〇年にすでにアニメ映画化しており、古典になっていた。『美女と野獣』の映画化に際しディズニーが意地悪な姉たちを抹消し、逆にベルを妹思いの姉にしようとしたのは、『シンデレラ』と似ないようにする配慮だったかもしれない。ディズニーには『美女と野獣』の映画化を模索し果たせなかった過去があり、コクトー版という先行例もあったことだし、新たにとり組むなら工夫が必要だった。とはいえ、欲得ずくの伯母の設定は、おとぎ話にありがちな性悪な継母に近い類型的なものにとどまる。ディズニーのアニメ映画は一九八〇年代に低迷し、本書第四章で触れる『リトル・マーメイド』(一九八九年)の成功でようやく持ち直した時期に『美女と野獣』の企画が再浮上したのだ。新たなヒロイン像が求められていた。

結局、パーダム案は却下され、ディズニーの当時の会長ジェフリー・カッツェンバーグは『リトル・マーメイド』を担当した作曲家アラン・メンケンと作詞家ハワード・アシュマンを起用し、同作と同様にミュージカル・スタイルで映画化することを打ち出す。そして、物語は作り直され、蠟燭の火が灯る燭台に変身させられた給仕頭ルミエールの歌に煽動され、皿や食器が踊り出すことにもなった。この「ひとりぼっちの晩餐会 Be Our Guest」の名場面でベルは、モノたちが演じるショーの観客になる。さかのぼれば、ボーモン版が切り捨てたヴィルヌーヴ版の要素には、城の光学技術によって窓からオペラ劇場の芝居が見物できてベルを楽しませるという設定もあった。その意味でディズニー版でのミュージカル化は、ヴィルヌーヴ版にあったスペクタクル性をべつの形で蘇らせたといえる。

新しい『美女と野獣』のストーリー作りには多くのスタッフがかかわり、脚本を担当したのがリンダ・ウールヴァートンだった。同作でディズニーのアニメ映画の脚本家に女性として初めてクレジットされた彼女は、男性ばかりのシナリオ会議で叫んだという。

「ベルは、ケーキなんか焼きません!」

(『アニメーションの女王たち』)

ウールヴァートンは脚本で、ベルが世界地図で行ってみたい場所に次々とピンを立てる場面を書いた。それを男性脚本家が、キッチンでケーキをデコレーションする設定に変えようとしたことに反発したのである。自ら進んで家事を一人でこなすボーモン版の良妻賢母型なベル像を、男性スタッフは疑っていなかったのだろう。だが、ウールヴァートンはそれまでのヒロインとは違う、誰かに救われる必要がない女性像を創造したいと考えていた。耐える、待つ、助けられるといった過去の受動的なヒロインとは異なる、自立して行動する主人公を描こうとするフェミニズム志向をディズニーで明確に打ち出したのが、ウールヴァートンだった。

開いた本に目を向けながら通りを歩く極度の読書好きにベルを造形したのも、彼女の意向だ。ゲイリー・トゥルースデイルとカーク・ワイズが監督して完成したアニメ映画版では、女性に学問は不必要とする男尊女卑の気風が残る村で、ベルは変わり者と思われている。主人公の賢さがよき妻、よき母になるため欲望や虚栄に流されず理性を持てという道徳の推奨を意味したボーモン版に対し、ディズニー版における読書好きはベルが狭い村の外へ空想の翼を広げ、冒険や自由を求める自立心を育むものとして描かれている。保守的な知性と進歩的な知性で意味づけが異なるのだ。ベルに兄弟姉妹はおらず、父モーリスとの二人暮らしで家事はしていても、それ以前のヴァージョンのような過度に負担を押しつけられた形ではない。また、父は奇妙な装置を作る発明家に変更され、夢見がちな娘とともに村のなかで浮いている設定だ。ディズニー版では、裕福な商人の没落といった経済的モチーフは後退している。

コクトー版のアヴナンに相当する、ベルにいいよる男としてガストンが登場する。狩りの名人とされる彼の初登場が飛ぶ鳥を無造作に撃ち落とす場面であるのは、アヴナンの初登場が矢を射る場面だったことを継承するかのようだし、いきなり暴力性を印象づける。ガストンは、名前は同じでもパーダム案における金持ちでうらなりのガストン侯爵とは異なり、ハンサムかつ筋骨隆々で村の女たちの人気者だ。だが、ベルの本を投げて水たまりに落とすなど、粗野で無教養ゆえに彼女から嫌われる設定である。ガストンはベルからいくら拒絶されても、村一番の美人が自分と結婚して子どもを産むべきだとの考えを変えない。村の保守的価値観を体現した男性なのだ。

王子が野獣に変えられた理由に関し、コクトー版の説明はおざなりでボーモン版も意地悪な魔女に呪いをかけられたとしか説明していなかった。だが、ディズニー版は、この物語における呪いの教訓的な意味を物語冒頭で明示する。悪天候の夜、城にやってきた老女が一輪のバラをさし出し、一晩泊めてほしいと頼むが、彼女が醜かったために王子は断る。すると老女は美しい魔女の姿を現し、外見だけで判断し優しさを欠いた王子を野獣に、彼をそう育てた召使いたちを様々な道具の姿にしてしまう。魔女は一輪のバラの花を残し、その花びらがすべて散るまでに王子が、人を愛し愛されることを学べなければもとの姿に戻れなくなる呪いをかける。

さかのぼればヴィルヌーヴ版では、父王の死後、多忙な女王のかわりに王子を教育したのは老妖精だった。傲慢な老妖精が成長した王子に求婚したのに対し、彼は「あなたはご自分でご自分の姿を思い浮かべたことはないのでしょうか」と鏡を見ることをすすめる。このため、自身の容姿の醜さをつきつけられ激怒した老妖精が、王子を野獣にする呪いをかけたという経緯だった。ヴィルヌーヴ版では、私に育てでもらったお前は求婚を受け入れて当然という老妖精の恩着せがましさから逃れようと、王子が思わず発した一言が災いを招く。このエピソードから、老妖精の性的妄執の悪徳という要素を捨象し、醜さを忌避し外見で判断する王子の態度、つまりルッキズムを抽出したのが、ディズニー版といえる。

姿を変えられた直後の野獣は、王子だった姿の自身の肖像画を爪で引き裂く。絵に描かれた目は変身してからも変わらぬ部分なので、後にそれを見たベルは微妙な違和感（野獣と会ったゆえの既視感）を抱く。現在の自分（野獣）が過去の自分（王子）を引き裂いたという構図であり、オルターエゴ（別人格）を描いた絵というモチーフは、オスカー・ワイルド『ドリアン・グレイの肖像』などを思い出させる。そもそも先行するヴィルヌーヴ版には、ベルが夜見る夢に貴公子が現れるが、城内に肖像画が飾られていた彼は、実は野獣の変身前の姿だったという展開があった。ディズニー版は、美男の絵と野獣をめぐるその展開を部分的にとりいれたわけだ。

また、従来版では野獣の暴力性は潜在的なものだったのに対し、ディズニー版ではやはりベルには直接手を上げないにせよ、彼女がいる部屋のドアを強く叩いて恫喝し、近くのモノを壊すなど物理的に脅威を与える。彼は、城から逃げ出したベルを襲う狼たちを撃退する時や、城へ攻めこんだガストンと対決する際などに非人間的な、獣でしかありえない身体能力を示す。だが、暴力的行動以前にまず精神の未熟さが問題だったのだろう。彼はよく癇癪を起こし、身近にいる相手を怒鳴り委縮させる。だが、ベルに触発され、召使いにうながされて自分を変えようとし、短気な怒りを収めようとし始める。いわばアンガーマネジメントに苦心するキャラクターなのだ。

さらに従来版と異なるのは、野獣の知性の扱いである。ボーモン版もコクトー版も野獣がその姿である間は、基本的に愚かなままだ。一方、ディズニー版では、彼は体の形状のせいもあって、食事でナイフとフォークを使えず、皿から直接食べて口のまわりの毛をベトベトにして周囲を汚す。獣っぽい行動をするのだ。だが、怒りっぽさを自ら矯正しようとするとともに、ベルとの仲をとりもとうとする召使いにアドバイスされ、立ち居振る舞いに気をつけ始める。ベルとうち解け始めた頃には、膨大な数の本が並んだ城の図書室に連れてゆき、彼女を喜ばせる。後には二人で同じ本を見ているシーンもあった。

ただ、初公開時にはカットされた「人間に戻りたい Human Again」のミュージカル・シーンには、文字を読めない野獣がベルに教わるくだりがあった。ということは、同じ本に向かっていたシーンは、ベルが読み聞かせていたのかもしれない。道具の体にされた召使いたちが元の姿に戻る希望を歌うこの場面で、野獣が字を習うエピソードが挿入されるのは、読書が人間性に、獣性からの脱出に結びつくとするディズニー版の価値観を表すように思う。野獣は甘やかされ十分なしつけや教育を受けていなかったが、ベルとの出会いを契機に礼儀作法や教養を身に着けていく。マッチョな体を有する点で共通するガストンが、学ぶ姿勢を持たずベルと話がかみあわないままなのとは違い、野獣は彼女と普通に話せる知性をみせるようになる。

アンガーマネジメントというテーマ

このようにベルと野獣が新たに性格づけされたことで、二人の関係性も従来版から変化した。ディズニー版では、禁じられた場所へ立ち入ったベルが野獣に激高され、もうこんなところにはいられないと城から飛び出す。だが、森で狼の群れに襲われ、野獣の体を張った行動で救われる。彼女は負傷してぐったりした彼を城に連れ帰り手当てするが、野獣はやりかたが痛すぎると怒り唸る。それに対しベルは「あなたがじっとしてれば、そんなに痛くない！　あなたが脅かすからこんなことになったんでしょ」といい返す。『アニメーションの女王たち』では、この場面のベルは当初、もっと受け身のセリフだったが、ストーリー部門で唯一、ウールヴァートンの味方だったブレンダ・チャップマン（『リトル・マーメイド』にもかかわっていた）が「助けようとしている相手に怒鳴られたら、自分だったら怒鳴り返す」としてセリフを変更したと書いている。同場面は、ディズニーのプリンセスがプリンスに怒鳴った初の場面だという。

『美女と野獣』に対しては、荻上チキが『ディズニープリンセスと幸せの法則』（二〇一四年）で「『軟禁された暴力男の下で、それでも献身的な姿を見せれば報われる』という構図でもあるわけで、危険なメッセージも含まれている」と評していた。それに対し、清水知子は『ディズニーと動物』（二〇二一年）でデイヴィッド・ウィットリーの議論（『The Idea of Nature in Disney Animation』二〇一二年）を参照し、野獣が食事のマナーを学び、入浴して衛生文化を身に着け文明化していくことについて「つまり、ベルは、ウィットリーが「野性の礼節 wild civility」と呼ぶ、矛盾をはらんだ儀礼を通して、野獣を飼いならしていくのだ」と述べた。ただし、清水は、互いに自己変容する交歓のプロセスだとも指摘している。それらの議論を踏まえれば、ディズニー版の傷の手当てをめぐる言い争いは、暴力男への献身と野獣の飼いならしがせめぎあい重なる場面だといえる。ここには両者の相互作用があり、善良なものに優しさを注ぐボーモン版やコクトー版のような、ベルから野獣への一方向的なケアにはなっていない。

『美女と野獣』の祖型の物語では、夫の姿を見ようとしたプシュケーの持つ燭台から熱い油がクピードーの肩に垂れて彼が怒り、二人は一時離れ離れになった。それに対し、ディズニー版『美女と野獣』では魔女の呪いで王子が野獣にされたのに伴い、召使いたちも城の道具の姿にされる。彼らのキャラクター性をみると、メイド頭でティーポットにされたポット夫人は、お茶のようなやすらぎを醸し出す。執事頭で時計にされたコグスワースは、まず野獣に従順であろうとし、呪われた時の経過をことなかれ主義で受け入れているようにみえる。だが、給仕頭で蠟燭付きの燭台にされたルミエールは、コンビ的存在のコグスワースがやめさせようとしても、野獣とベルを結びつけるためにあれこれ動く。「ひとりぼっちの晩餐会 Be Our Guest」でのおもてなしシーンではみなを仕切り、歌い踊ってベルを楽しませるのだ。プシュケーの燭台が夫婦の軋轢を生んだのとは反対に、燭台の姿のルミエールは異類間の男女を恋へ導く灯りになる。彼のおかげもあって、ベルと野獣は、有名な二人だけの舞踏会の場面で恋を自覚するのだ。

互いの心がそれまでで最も接近した場面だが、すぐ後、心配でたまらない父のもとへベルが向かうことを野獣は承諾する。従来版では再び城へくることを条件に野獣は認めたのだが、ディズニー版では制約を設けず、ベルに自由を与える。彼女は約束への従順さで城へ戻るのではなく、自分の意思で行動を選ぶ。

ここでも野獣とベルの性格づけが変容しており、いわば双方が民主主義化されている。

また、ディズニー版における付加要素で大きいのは、村民が城に攻めこむことだ。魔法のせいで城は周囲から隠されており、野獣も召使いも外へ出られない。だから、森の奥に野獣が存在すると村で主張したベルの父モーリスは正気を疑われ、ガストンの計略で精神病院に入れられそうになる。ガストンは、ベルに結婚を迫るため、父を取引材料にしようとするのだ。それに対し、許しをえて父のもとへ駆けつけたベルは、城で渡された魔法の鏡で野獣を映し、実在を証明する。だが、その姿の見た目は恐ろしい。ベルがいくら彼の優しさを伝えても、「野獣を狩るまで安心できない」とガストンに煽られた人々は「夜に忍び寄ってくるだろう」、「子どもたちが犠牲になる」と、野獣が村を襲うどころかきてもいないのに「殺せ」と口々に叫び出す。ガストンだけでなくみなが暴力的になり怪物化してしまう。群衆全体が獣性をおびる。外見による差別というテーマが拡大されるのだ。

二人だけの舞踏会では異類同士であっても個と個が理解しあうのに対し、集団には無理解と排除の姿勢が伝播してしまう。攻めこまれた側は応戦し村民を退けるが、興味深いのは、そこが城であるにもかかわらず、召使いはいても戦うことを職務とする兵士がいない設定であることだ。このため、非戦闘員たちの争いは血生臭くはならず、モノ化した召使いと一般人である村民の対決をアニメらしくデフォルメしてコミカルに描くことが可能になる。それは同時に、頑強で暴力性をおびた野獣とガストンという二人の肉体を際立たせる。

ディズニーは、同映画制作中に亡くなったハワード・アシュマン（一九九一年にエイズで死去）に代わる作詞家としてティム・ライスを起用し、新曲を追加したうえで『美女と野獣』を一九九三年に舞台化した。

おとぎ話としてシンプルな形に刈りこまれたボーモン版に対し、アニメ映画は登場人物それぞれに心理的な奥行を与え、コクトー版のモノ化した喋らぬ人体とは反対にモノ化してもお喋りな召使いたちを配した。舞台化では、各自の内面を新曲でさらに歌わせたのである。最初の映画公開でカットされた、野獣がベルに字を教わる場面も明確に描かれた。

ミュージカル・スタイルは変えずにアニメ映画、舞台化を経たディズニー版は、二〇一七年にビル・コンドン監督、スティーヴン・チョボスキーとエヴァン・スピリオトポウロスの脚本で実写映画化された。大枠はアニメ映画および舞台を踏襲したものの、さらに改変が加えられ、登場人物の性格も物語の全体的な印象も以前とは少し違うものになっている。実写版ではベルが住んでいる場所が「ヴィルヌーヴ村」と名づけられ『美女と野獣』の原典に敬意を表しつつ、先行作を視野に入れ制作していることを示唆していた。

コクトー版のベルは、父が病気になったのを知って里帰りし、野獣が死にかけているのを知って城へ戻る。ケアからケアへの往復だ。一方、ディズニー版でベルが城へ戻るのは、ガストンが村人を連れ野獣の攻撃に向かったのを止めたいと思うからであり、その動機はアニメ、舞台、実写に共通する。だが、父のもとへ駆けつける理由には差がある。アニメ版と舞台版では、娘を心配し城を探すモーリスが迷った森で病気に倒れたことを魔法の鏡でみるからだ。それに対し実写版では、ガストンの策略で父が車に無理矢理乗せられ、精神病院へ連れていかれそうになるのを知るからなのである（実写版の父は発明家ではなくオルゴール職人）。彼女は、窮地の父を救おうと城を出る。傷ついた病人を世話するのではなく、愛する人が危険な目にあわされるのを許せず、阻止しようとして行動する。そうした動機が城への帰還だけでなく父のもとへの急行にも適用されることで、実写版はアニメ版以上に行動的な女性像になっている。

ベルがより強い女性になったこととバランスをとるためか、ガストンの暴力性にも新たな理由づけが与えられた。マッチョな彼には戦争に参加した過去があり、ハンサムなだけでなく村を救った英雄とされていることが彼の人気の背景として書きこまれた。このため、ガストンが村人たちを連れ城へ攻めこむのは、ベルの想いが野獣に傾いていることを察した嫉妬からだけではなく、戦争がない現在に空虚感を覚えていたことも理由になっている。

また、アニメ版の段階からガストンにはル・フゥというお調子者の相棒がいた。彼は、コメディリリーフの役割をにないつつ、ガストンに追随するばかりだったが、物語後半では次第に彼の行動に疑問を覚え心が離れていく。実写版ではその過程において、すぐ腹を立てるガストンに落ち着くようながす場面も目立つ。短気な主君となだめる召使いに似た関係性であり、野獣と同じくガストンもアンガーマネジメントを課題とするキャラクターと位置づけられるのだ。終盤に城で野獣とガストンは直接対決する。ガストンは飛び道具も使って相手をひたすら殺そうとする。だが、駆けつけたベルが見守る前で、ようやく劣勢から脱け出した野獣はガストンを捕まえて持ち上げ、簡単に殺せる状態になるもののそうしない。敵から手を放し「出ていけ」とだけいう。アンガーマネジメントに成功したのはどちらか、怪物とは誰かが鮮明になる展開だ。結局、野獣が手を下すまでもなく、ガストンは高所から落下してしまい命を落とす。アンガーマネジメントの描写で野獣とガストンの相似性が強められる一方、兵隊がいない城に戦争経験を懐かしむ元兵士が攻め入り、二人が直接対決することで、それぞれが内に抱えた暴力性とどのようにつきあったか、差異が明確になった。自らの獣性を野獣は遠ざけ、ガストンは膨れ上がらせたということだ。

アニメ版『美女と野獣』は、村人たちに怒りの発作が伝染し、群衆として怪物化する怖さを描く一方、ディズニーで初めてプリンセスがプリンスにいい返し怒鳴った作品だった。従来版の『美女と野獣』では城へ幽閉されても圧倒的な体力差もあるからベルが怒りを露わにすることなどありえず、哀しみを耐え忍ぶのが当たり前という演出だった。だが、ディズニー版では男たちや群衆は自らの怒りを管理すべきだとすると同時に、ベルは怒りを表出していい、むしろそれは女性がすべき怒りの管理法だと方向づけたわけだ。実写版ではその方向づけが、さらに強められている。

「ひそかな夢」でプリンセス化した野獣

人間の姿を奪われ召使いから恐れられるとともに外界との交流を断たれた野獣と、村で変わり者扱いされるベルが、互いの孤独から共感することは、アニメ映画化の時点で描かれていた。実写版では、それがセリフでより明確化される。野獣にされた王子が幼い頃、愛する母の病死後に非情な父に育てられ冷たい性格になったこと、ベルの幼少時、ペストにかかった母が娘に感染させてはいけないと、父と一緒に立ち去らせ死んだことが明かされる。母を早くに失った者同士の共感も加えられ、二人が愛しあう根拠が補強されているのだ。

また、アニメ版、舞台版では字の読めない野獣がベルに教えてもらっていたが、実写版では彼はもともと本を読める設定で教養人ぶりをみせる。ヴィルヌーヴ版、ボーモン版、コクトー版では愚かさが獣性として示され、ディズニー版のアニメ映画、舞台では愚かさは学習によって克服できることが描かれた。だが、実写版では、学ぶ野獣と学ばないガストンという学びの対比はなくなった。はじめから知性の差が設定され、野獣とガストンにおける獣性のふりわけが後者により多くなっている。愚かな者は最初から最後まで愛されず、たとえ愚かでも善良であれば愛されるのかというヴィルヌーヴ版が提起した問題は、忘れられたかのようだ。いい返し怒鳴るプリンセスを相手に拳で答えるプリンスではロマンスに発展しないわけで、相手には彼女の主張を受けとめる力が必要とされる。いっそう自立心を増した女性像と釣りあうように、教養という裏づけを強めたキャラクターが必要とされたのだろう。

ベルが野獣に読み聞かせる本は、アニメ版ではシェイクスピア『ロミオとジュリエット』、舞台版では『アーサー王と円卓の騎士』だった。それに対し実写版では、負傷して床に横たわる野獣の隣でベルがシェイクスピア『真夏の夜の夢』の一節を暗唱すると、彼が続きをそらんじて彼女を驚かせる。ベルが野獣の教養を知る瞬間である。そして、シェイクスピアなら『ロミオとジュリエット』が好きだというベルに野獣は「なぜ」と返し、「主人公が恋焦がれて心を痛める悲劇じゃないか。楽しめる読みものならほかにもある」といって図書室のシーンに至る。

『ロミオとジュリエット』は、敵対する二つの家の男女が愛しあったゆえに起こる悲劇であり、属する世界が違う二人という点では野獣とベルの関係に重なる。また、ベルと野獣がそれぞれ『真夏の夜の夢』から暗唱したのは、次のフレーズだ。

愛はみにくいものを、気高くおごそかなものに変えることができます。愛は目で見るものではなく、
心で見るものです。

それゆえ、翼をもつキューピッドは盲目にえがかれているのです。

（エリザベス・ルドニック『美女と野獣』橘高弓枝訳。実写映画のノベライズ）

他作品からの引用ではあるが物語のテーマに相当するセリフである点は自己言及的だし、野獣は『美女と野獣』物語の祖型に登場したクピードー（キューピッド）の名を口にしている。この場面などを見ると実写版の野獣は、従来版よりもはるかに自身の置かれた立場に自覚的である。

ディズニーはアニメ版を舞台化する際、主要登場人物それぞれに新曲を与え、心理描写を深めた。野獣の場合、「愛せぬならば　If I Can't Love Her」で偏った見方をしていた過去を後悔するとともに、彼女と愛し愛されねば生きられないという絶望が歌われた。実写版で同曲に代わる野獣のソロ歌唱曲として新たに作られたのが「ひそかな夢 Evermore」である。二曲とも作詞はティム・ライスで「ひそかな夢」は「愛せぬならば」のモチーフを引き継ぎつつ、より孤独感を強めた内容になっている。同曲は、父を心配するベルを城から解放し、自由にした後に歌われる。一番の詞は次の通り。

すべてを手にしていた
運命まで従えていた
私の人生に誰も必要でなかった
真実を学ぶには遅すぎたんだ
痛みを振りはらえない

瞳を閉じても彼女がそこにいる
この憂鬱な心を彼女に盗ませたんだ
自分で裸になれる以上に

今はもう彼女は私を放っておいてくれない
たとえ走り去っても
彼女は私を苦しめ続ける
私をなごませ　傷つけ
心動かす　なにがあろうと
この孤独な塔で疲弊しつつ
扉を開けたまま待つんだ
彼女は戻ってくると自分をだましながら
永遠にともにいるんだと

（筆者訳）

日本語版で野獣の声を担当した山崎育三郎が歌った「ひそかな夢」では原詞の主旨は訳していても、「Wasting in my lonely tower / Waiting by an open door」の「孤独な塔」、「開けた扉」を省いた詞になっていたが、むしろ興味深いのはこの部分だろう。野獣はベルを城に閉じこめていた。彼は魔女の力で人間の姿を奪われただけでなく、外界との交流を断たれていたのであり、ベルを無理矢理、同じ境遇にした。だが、彼女を解放し自由にしてから、心に居続けるベルに自分が囚われていると思い知る。閉じこめられた塔で哀しみに震え、扉を開け、愛する人が助けにきてくれるのを待ち続けるこのシチュエーションは、プリンスというより、むしろ古典的なプリンセス像に近いだろう。狼の群れと戦い、体を張ってプリンセスを助けたプリンスが、ここでは救いを待つ側に逆転している。それにより、野獣とベルが対等だという印象が、アニメ版以上に強まっている。

正しさの追求による歪み

恋のライヴァルを殺そうとしたガストンは落下して自滅した。だが、彼から受けた傷により野獣は命を失う。そして、寄り添っていたベルが哀しみ、「愛している」と自分の想いを口にすると、野獣は王子の姿に変じて蘇る。真実の愛のキスによって事態が好転するのはディズニー映画のお約束だが、アニメ版でベルがキスするのは王子の姿になってからだ。A・L・シンガーのノベライズでは「彼女は野獣の傷ついた体を抱き寄せて、彼の頬に優しくキスした」(『美女と野獣』寺山智佳子訳)とあるが、実際の映像では明確なキスの動作はなく、ベルは相手の体にとりすがっているだけである。野獣となった醜い身で愛し愛されるなら人間の姿に戻れるというのが、魔女の呪いだった。その愛し愛されたことを証明するのがキスならば、タイミングがおかしい。ベルは醜い野獣ではなく、美男子の王子になって初めてキスするのだから。

この点を補正したのか、実写版ではベルが野獣の額に明確にキスの動作をし、王子になってからあらためて口にキスする。人間と野獣の口の形状が違いすぎるため、最初のキスは額にしたのかもしれない。

野獣に変身させられた王子の人間への再変身は、『美女と野獣』で最もドラマチックな場面だが、同時に鑑賞者の失望を誘う場面でもある。最初は恐ろしげで醜い存在と思われた野獣が、話の進行につれて実は愛すべき相手だと思われるようになり、その感情が最も高まった瞬間に彼の姿は失われてしまうのだ。見た目の美醜に惑わされるなという教訓を打ち出した話なのに、もともとフランス語で「美しい」を意味する名を持つベル（belle）が、醜いままの野獣と結ばれるのではなく、王子が美男子に戻ることがいわば物語展開のご褒美として設定されているのだから、はなから矛盾を抱えている。コクトー版の映画で最後の場面を見たグレタ・ガルボが「私の野獣を返して」と叫んだという逸話があるが、『美女と野獣』のヴィジュアル化では変身後の王子の印象が薄いという評価がつきまとう。ディズニー版でベルが変人扱いされていることや、彼女と野獣の孤独が強調される一方、村でガストンがハンサムな人気者とされているのは、物語の矛盾した印象を和らげるための付加要素とも思える。性格や価値観といった美醜以外の要素に描写の力点を移そうとしているのだ。また、実写版ラストで二人が踊る時、人間に戻りつるりとした顔になった王子は、ベルから「髭を生やしてみたらどう」といわれ、ガオーッと少し吠えてみせる。これは、「私の野獣を返して」と思うであろう鑑賞者を意識して挿入したセリフだっただろう。

ディズニー版のアニメから実写への変化では、先に触れた通りフェミニズム的観点から女性像が強化されたと同時に、ポリティカル・コレクトネスに配慮して従来になかった多様性が盛りこまれたことがわかる。城へ訪れた醜い老婆を追い返そうとした王子が、正体を現した魔女に呪いをかけられる場面は、アニメ版ではステンド・グラス風の絵とナレーションで二人のやりとりが描かれる。それに対し、実写版では王子が華やかな舞踏会を催している場面から始まる。美しい人々だけが踊っているところへ醜い老婆が現れる設定なのだ。物語中盤の二人だけの舞踏会では、野獣が「踊るのは久しぶりだ」とベルに話す。異類であることや美醜を超えて心情の交流がなされる二人だけのダンスと、美で選ばれた人々によるかつての舞踏会が、対照的なものと位置づけられる。ただ、実写版では、冒頭の舞踏会の参加者も城の召使いたちも肌の色はまちまちで様々な人種がいる（中世フランスの設定だからか、黒人はいても黄色人種のアジア系はみあたらないようだが）。白人ばかりに見えたアニメ版とは異なり、人種の多様性が明確にわかるキャスティングなのだ。

とはいえ、そのように人種の多様性を初めから認める王子だったならば、醜いものを排除する狭量さは持たなかったのではないかと、疑問を抱かざるをえない。物語の最後では、戦いが終わって城の人々と村人たちが一緒に舞踏会で楽しむ。この場面の多様性と対比するため冒頭では白人だけの舞踏会として、王子の価値観の変化を描いたほうが、歴史の現実と照らしあわせてもリアルだったように思う。美醜の問題を人種問題とからめて広げた場合、扱いがややこしくなるから制作陣は避けたのだろうと想像してしまう。

また、実写版では、ガストンの相棒であるル・フゥが同性愛者的に描かれるほか、城に攻め入ったなかの男三人が、箪笥の姿にさせられた衣裳係マダム・ド・ガルドローブに女装させられ、その気になるくだりがあった。最後の舞踏会でも男同士のペアが出てくる。話に性的多様性をとり入れた形だが、彼らは笑いを生む役回りにされており、とってつけた印象もある。実写版は、ポリティカル・コレクトネスのとりこみが恣意的にみえるのだ。

実写版でさらに加えられたフェミニズム的要素をみると、ベルは、洗濯物と石鹸を樽に入れて馬に引かせ簡易洗濯機とすることで家事を省力化する。彼女が変わり者扱いされる一因であり、ベルが進んで家事に励んでいた過去のヴァージョンとは異なる。ただ、『美女と野獣』はどのヴァージョンでも、城へ幽閉されてからベルは自由を奪われるが、野獣＝王子の妃候補としてもてなされるのだ。二人の結婚後、家事は城のモノ化した人体か、あるいは召使いたちか、いずれにせよ妃になったベル以外のものが担うだろうと想像させる。ディズニー版より前のヴァージョンであれば、妹に家事を押しつけつつ良縁を欲していた姉よりもベルのほうが安楽に暮らすだろうと思わせた。また、ディズニー実写版で簡易洗濯機使用中に浮いた時間で読書するベルは、近くにいた少女に読むことを教えるが、女に学問は必要ないとする村民から責められる。ラストで城内外のみんなで仲良く舞踏会に参加するまでに、彼女と周囲の価値観の差異が解消されるエピソードがあるわけではないまま、ベルは野獣と結婚し王族の一人になったわけだ。

物語の祖型にさかのぼると、人間だったプシュケーは最後に神にしてもらい、愛の神クピードーとの身分違いが解消されて結ばれる。『美女と野獣』のヴィルヌーヴ版では、商人の娘であるベルと王子＝野獣は身分違いゆえに結婚を反対される展開があり、彼女は実は王家の血筋だったと判明し、まるく収まった。それ以後のヴァージョンでも、野獣は王子に戻り同じ人間になることでベルと結ばれるのであって、異類婚姻譚といっても異類のままで物語は終わらない。王族と一般人の娘という身分の違いは残っても、野獣とベルの生物的差異が解消することで愛は成就する。どのヴァージョンでも、最後の展開に野獣とベルを平準化する力が働いている。ただ、ディズニー版の場合、野獣とベルと彼女の家族に登場人物を限定することで『美女と野獣』物語をポピュラーにしたボーモン版とは異なり、モーリスとベルの父娘を異端視する村の人々という群衆を加えた。アニメ版では野獣の呪いが解けるとともに道具にされていた召使いたちも人間の姿に戻り、舞踏会シーンでエンディングとなった。実写版のこの場面では、少し前まで野獣を敵視し戦っていた村の人々まで城内に入り、踊りの輪に加わる。野獣とベルだけでなく、城の王族と村民まで身分の平等が実現したかのような、漠然とした民主化のイメージが結末に与えられているのだ。

実写版に関しては、制作時点において民主主義の立場から、ポリティカル・コレクトネスの観点から『美女と野獣』の正しいと考えられるアレンジを施したという姿勢が随所にうかがえる。とはいえ、革命が起きたわけではないのだから王家は存続するだろうし、美醜に惑わされるなという物語が美しいもの同士の愛の成就で終わる根本的な矛盾も残る。そもそもプリンセスがプリンスと出会う物語は、自分が選ばれた特別な何者かになりうるという夢、そんな立場への感情移入でなりたっているのだ。選ばれた特別が平準化されることを『美女と野獣』物語のファンが望んでいるとは考えられない。だが、ルッキズム批判や多様性の受容といった現代的な正しさの観念からすると、かつての夢をそのまま見続けるのは後ろめたい。このため、物語にアレンジをいっそう加えたら、『美女と野獣』本来の骨格との摩擦が強まり、歪みが大きくなったという経緯だと推察される。

ボーモン版からディズニーの実写版へ至るまでにベルは自立心を強める方向に性格が更新され、彼女に呼応する形で野獣も昔の性格ではいられなくなった。獣性は野獣よりも彼のライヴァルに多く割りふられることになった。このような二人の性格の歴史的変化は、野獣が王子に戻り、ベルがお姫様になるという変化以上に大きかったのではないか。そう考えざるをえない。

作品リスト

［小説］

ガブリエル＝シュザンヌ・ド・ヴィルヌーヴ『美女と野獣』1740年

ジャンヌ＝マリー・ルプランス・ド・ボーモン『美女と野獣』1756年

［映画］

ジャン・コクトー監督『美女と野獣』1946年
出演：ジャン・マレー、ジョゼット・デイ

ゲーリー・トゥルーズデイル＋カーク・ワイズ監督『美女と野獣』（アニメ）1991年
出演：ペイジ・オハラ、ロビー・ベンソン

ビル・コンドン監督『美女と野獣』2017年
出演：エマ・ワトソン、ダン・スティーヴンス

［ミュージカル］

作曲：アラン・メンケン、作詞：ハワード・アシュマン＋ティム・ライス
『美女と野獣』1994年

［関連作品］

小説

アプレイウス『黄金のロバ（変容）』（クピードーとプシュケー）2世紀後半

第二章

醜さ　変われなさ——『ノートルダム・ド・パリ』／『ノートルダムのせむし男』／『ノートルダムの鐘』

醜い顔で背骨の曲がったカジモドは、ノートルダム大聖堂の鐘つきをしている。広場で晒し者にされた彼は、自分に優しくしてくれた踊り子エスメラルダに恋するものの、彼女はべつの男を愛していた。だが、陥れられた踊り子が処刑される寸前、カジモドは彼女をさらって大聖堂へ逃げ上る。

グロテスクと美

かつての映画では『ノートルダムのせむし（傴僂）男』、後年のディズニー版では『ノートルダムの鐘』と邦題がつけられた『The Hunchback of Notre Dame』（英題）の物語は、右頁に掲げたような骨格を持つ。エスメラルダをめぐるカジモドの競争相手をどう配置するかで様々な形に脚色されてきた。ヴィクトル・ユゴーによる原作『ノートルダム・ド・パリ　Notre-Dame de Paris』（一八三一年）は長大な小説であり、物語の中心となる恋愛の当事者たちが現れるまでかなり待たされる。本筋に入ってもパリの街並みの説明が延々と続くところがあるなど、現在の視点から冗漫に感じる部分があるのは否めない。だが、キャラクターの造形や関係性、悲劇的な結末は、穏便なハッピーエンドを選ぶことが多かった後の時代のアダプテーション（改作）より、むしろ大胆だった。古びた冗漫さがありつつ、色褪せない魅力を持つ厄介な作品なのだ。

ルイ十一世治下の中世フランス。一四八二年一月六日の「らんちき祭り」（本書での用語、引用は断りがない限り岩波文庫版『ノートル＝ダム・ド・パリ』の辻昶・松下和則訳による。他の訳に「道化の祭り」「愚か者の祭り」など）が開かれているパリで物語は始まる。祭りでは宗教を題材にした聖史劇が上演されたが、群衆が騒ぐなど邪魔が入り、芝居の作者で詩人のピエール・グランゴワールは気がもめてならない。そのうち、一番おかしな顔の者を「らんちき法王」に選ぶ催しが始まってしまい、やっと本作の主人公が姿を現す。悪ふざけといえるその催しで選ばれたのは、ノートルダム大聖堂の鐘番カジモドだった。こぶがあって湾曲した背中、大きないぼでふさがった片目、乱杭歯、X脚という異形に人々は熱狂するが、鐘の大音響に痛めつけられた彼の耳はほぼ聞こえていない。間もなく観衆は、広場で「ジプシー」の美しい娘がタンバリンを叩きながら踊るのに魅かれ、集まる。ヒロインのエスメラルダの登場だ（現在「ジプシー」は差別的な意味が含まれるとされ「ロマ」という自称が用いられている。ただ、従来の作品受容で広く用いられ、今もあらすじ紹介でこの語を使う例は少なくない。有徴性のあるこの呼称と、反差別という物語のテーマが結びついているのでもあるから、本書では表記を残す）。

自らの踊りと連れた山羊の曲芸で見物人を楽しませるエスメラルダに対し、広場近くの半地下に暮らし「おこもりさん」と呼ばれる老女が罵声を浴びせた直後、「らんちき法王」の行列がやってくる。冠をかぶり台に載せられたカジモドは囃され喜んでいたが、法王のしるしの笏杖をいきなりつかみとられる。笏杖を奪ったのは、捨て子だったカジモドを拾い育てたノートルダム大聖堂の司教補佐クロード・フロロだった。カジモドの浮かれぐあいに激怒したクロードは、直前までエスメラルダの踊る姿を暗い目で見つめていた。カジモドは、クロードに命じられ彼女をさらおうとする。それを阻もうとしたグランゴワールを投げ倒したものの、王室射手隊の隊長フェビュスがエスメラルダを救い、カジモドは捕まってしまう。ここに至って物語主筋の恋愛関係の当事者が出揃う。有罪とされたカジモドは、広場で鞭打ちの刑にされ、晒し者になる。身動きできぬまま「水をくれ」と哀訴する姿を人々が嘲笑し揶揄するなか、水を飲ませてやったのは、彼に襲われた被害者エスメラルダだった。優しさに感動したカジモドは彼女に恋するが、養父クロードによる抑圧と醜さの自覚が彼の行動に影を落とす。一方、聖職者のクロードは禁欲を旨に生きてきたが、エスメラルダの存在を知って情欲をかき立てられ、どんな手段を使っても自分のものにしたいと罪を犯すようになる。

エスメラルダは危機を救ってくれたフェビュスに恋心を抱く。だが、彼の格好良さは表面だけであり、名家の娘の婚約者がいるフェビュスがエスメラルダの恋に応じようとするのは、ただの遊びでしかない。一方、グランゴワールは、貧民や移民が集まる「奇跡御殿」(他の訳に「奇跡の法廷」)に迷いこみ捕らえられる。他の場所では盲目のふりをしたり杖をついたりしている者たちが、ここへくると不自由のない体に戻る「奇跡」の場所だ。クロパンを首領とする「奇跡御殿」で意図せず侵入者となったグランゴワールは、処刑されそうになる。だが、エスメラルダが彼との結婚を申し出て刑を免れる。結婚によって仲間と認定されるわけだ。だが、結婚は形だけであり、彼女は夫婦生活を拒否する。以後もグランゴワールは、主筋の恋愛模様には入れず、狂言回し的な脇役にとどまるのだ。

エスメラルダは踊り子として肉体的な魅力を発散すると同時に純真である。ただ、フェビュスの女好きの本性を見抜けない一方、名目だけとはいえ勢いでグランゴワールと結婚する大胆さもある。フェビュスは軽薄、エスメラルダは軽率なのだ。また、クロードの指導で大聖堂の鐘楼に引きこもる生活をしてきたカジモドは、強い力を持ち、子どものように無垢な部分を有するが、醜い容貌ゆえに侮辱され人間嫌いになっていた。エスメラルダ、フェビュス、クロード、カジモド。本作の主要人物四名はそれぞれアンバランスな人格を持ち、いずれの想いも空転して相思相愛にならず、悲劇に至る。このように聖と俗、善と悪、美と醜、無垢と汚濁が一人の心のなかで、相互関係のなかで入り混じり時に一体化し、あるいは齟齬をきたしドラマが生まれる。

自身の作劇術に関しユゴーが語った文章で名高いのが、戯曲『クロムウェル』の序文（一八二七年）だ。彼が頭角を現した十八世紀にフランス文学の主流だった古典派に対抗し、ロマン派をいわば宣言したのが、この文章だった。古典派には、戯曲は一日のうちに一つの場所で起こる一つの筋で完結しなければならないとする三単一の法則や、悲劇と喜劇の区分け、韻の規則など、特定の型の美をよしとする傾向があった。ルールに縛られたその創作姿勢に反旗をひるがえしたのが、ロマン派である。ユゴーは、次のように書いていた。

キリスト教は詩を真実に導く。キリスト教のように、近代の文芸はより高くより広い目で事物を眺めるであろう。それは、森羅万象中の一切のものが人間的に美しいわけではなく、美のかたわらに醜が存在し、優雅なもののそばに不格好なものが、崇高なものの裏にグロテスクなものが、善とともに悪が、光とともに影が存在することを感じるであろう。

（『ヴィクトル・ユゴー文学館　第十巻　クロムウェル・序文　エルナニ』）

この文章に関しユゴーの実作を踏まえ解釈すると、彼は、キリスト教が掲げる美、崇高、善はある種の光源であり、それによって醜、グロテスクといった隣りあう影の存在を知ることができるととらえていたわけだ。形式ばった古典派が一面からしか見ず向きあおうとしない光と影の二面性、二律背反の真実をユゴーは描こうとする。戯曲に関して書かれたこの「クロムウェル」序文から四年後に発表した小説『ノートルダム・ド・パリ』には、彼のロマン派の理念が発揮されていた。キリスト教の聖職者クロードが抱えた俗っぽい情欲。グロテスクな姿のカジモドが果敢な行動をとる時の崇高さ。無邪気さと性的挑発性をあわせ持つエスメラルダ。彼らの造形をはじめ、同作には表裏一体の光と影がふんだんに描かれている。興味深いのは、前記序文のロマンの時代について語った部分で『美女と野獣』に言及していることだ（一七五六年出版のボーモン版が念頭にあったと思われる）。

> いわゆるロマン的時代においては、あらゆるものがグロテスクと美との緊密で創造的な結びつきを示している。このうえなく素朴な民間伝説にいたるまで、時に、感嘆すべき本能でもって、この近代芸術の神秘を明かしている。古代によっては、『美女と野獣』は作られなかったであろう。（同前）

『ノートルダム・ド・パリ』では生まれたばかりのカジモドを見たひとたちが「化け物」、「獣」、「きっとユダヤ人が雌豚に産ませたもの」と評する場面があり、クロードによる命名も「ほぼ（カジモド）」人間という意味からだったとされる。本作は『美女と野獣』のような異類婚姻譚的な物語として発想されたといえる。カジモドは、人間よりもむしろ大聖堂に数多くある聖人の像、あるいはガーゴイル（怪物の姿の彫像）を友だちと感じ、話し相手にしていた。普通の人間とは違うために友人を持てない孤独感の表現としては、『美女と野獣』のジャン・コクトー版映画で野獣の城の調度品が人体からできていたこと、そのディズニー版映画で道具の姿にされた召使いたちがいたことと通じるだろう。ただ、野獣が本来の王子の姿に戻りベルと結ばれるのに対し、変身できず醜いままのカジモドの恋が現世で成就することはない。

嫉妬に狂ったクロードはフェビュスを刺し、エスメラルダに罪をかぶせる。自分の愛を受け入れれば救ってやると迫るクロードを拒絶したエスメラルダは、魔女裁判にかけられ死刑にされそうになるが、カジモドが彼女をさらい大聖堂でかくまう。そこは聖域であり、法律の及ばない避難所なのだ。だが、続く混乱のなかで結局、エスメラルダは捕まって広場で処刑され、その光景を大聖堂の高所から見つめ笑い声をあげたクロードはカジモドに落とされ死ぬ。エスメラルダの愛しい人は命を落とすことなく回復したが「フェビュス・ド・シャトーペールもまた悲劇的な最期をとげた。結婚したのである」と書かれている。また、カジモドは失踪したが、一年半後、墓地で女の骸骨を抱いた背骨の曲がった骸骨が見つかる。長編の最終節は「カジモドの結婚」と題され、こう締めくくられるのだ。

この骸骨の主は、ここにやってきて、ここで死んだのだ。この骸骨を、その抱きしめている骸骨から引きはなそうとすると、白骨はこなごなに砕け散ってしまった。

(『ノートル＝ダム・ド・パリ』)

コントラストと相似

美男で浮気性のフェビュスが、婚約者と結婚したことを作者は「悲劇」と皮肉る。物語の他の主要人物が恋情のために非日常を経験し死に追いこまれたのとは異なり、彼はよき家柄の娘との結婚というありきたりな幸福を選ぶ凡庸な人物なのだ。クロードと違って自分の職に適さない行動に走ることもない。そうした現状追認の凡庸さと対照的なのが、カジモドの「結婚」である。醜く人間扱いされなかった彼は、死後にエスメラルダと結ばれるため、彼女の遺体を抱いたままこの世を去る。絡みあった骸骨を離したら粉々になってしまうほど、固く一体化したのだ。グロテスクかつ崇高な光景である。美のフェビュスと醜のカジモドの差を際立たせたこの幕切れまで、本作は多くのコントラストを描く。その積み重ねがあるからラストが強い印象を残す。

カジモドに関しては、もう一つコントラストがある。彼は生まれつきの奇形であり、姿は変わりようがない。それに対し「奇跡御殿」には、いつもは目が見えない、二つの足で歩けないふりをしているのに、ここへくると健常者に変わる連中がいる。身体障碍者を装うことが生業であるような貧しい人が集う場所なのだ。『ノートルダム・ド・パリ』の着想の遠因に『美女と野獣』があったことを考えれば、障碍があるふりから健康体に戻る人々は、王子の姿を現す野獣のパロディのようにも思える。そんな「奇跡」など起きないカジモドと「奇跡御殿」の贋の障碍者は対照的だ。だが、二者は対照的であると同時に相似してもいる。政治的に抑圧され、下層のなかでもとりわけ貧しい人々や移民が「奇跡御殿」に集う。場所としてはそれとは反対に、宗教的権威である大聖堂の上層に鐘番のカジモドは暮らしている。だが、クロードに下僕として抑圧され、醜さのため人々から虐げられ外を気軽に歩けない彼は上層にいても下層の存在であり、「奇跡御殿」と親近性があるだろう。

本作では対照的であると同時に相似してもいる関係が、複数描かれる。「奇跡御殿」では掃きだめの鶴的な存在であるエスメラルダとカジモドの関係もその一つであり、彼が彼女に魅かれるのも自然なことだ。

二人は美醜では対極だが、社会の中心から疎外され周縁に生きる点は共通する。しかし、大聖堂の鐘番という引きこもる居場所（それは聖域でもある）を与えてくれた養父クロードにカジモドがさからえないのに対し、エスメラルダは「奇跡御殿」首領で父的立場といえるクロパンの意向にさからってグランゴワールの命を救う。独立心に差があるのだ。また、エスメラルダとフェビュスの場合、美男美女で見た目のよさは共通するものの、社会から排斥される側の移民と体制に帰属する王室射手隊隊長では立場が大きく違う。それらの組みあわせに比べ、エスメラルダとクロードの共通性は見えにくい。だが、性的な魅力を放つ容姿のエスメラルダが純真な心を有するのに対し、聖職者で学問を追求し禁欲生活をしてきたクロードが欲情をつのらせるのだ。互いの聖と俗の二面性が、たすきがけのようにくい違っている。性的魅力で人々を惑わせ、芸をする山羊を連れているエスメラルダが魔女裁判で有罪にされる一方、彼女をそう追いこんだクロードは錬金術に熱中したりしている。

それぞれの二者関係にコントラストと相似が入り混じっていることは、互いの接近と忌避につながっている。フェビュスはエスメラルダを拒絶せずむしろ誘惑しているが、「ジプシー」である彼女を、すでにいる婚約者と同等の結婚相手として考えることはない。そのような対象としては忌避しており、遊び相手でしかない。クロードは牢獄にいるエスメラルダに対し「このわたしを哀れんでくれ」、「二人して逃げるのだ」と求愛するが、女を火あぶりにすれば聖職者として自分は立ち直れるとも思っており、相手に拒絶されて後者の感情が勝つ。カジモドは自らの居場所である鐘楼にエスメラルダを連れてくるが、「おれがこわいんだね。おれはまったく醜い男だな。そうだろう？　おれのほうを見ちゃいけないよ。声だけを聞いてくれ」という。醜さを自覚しているため、彼女と近づきたいのに距離をとらねばならないと考える。

踊り子のエスメラルダが人々に自らを見世物にする芸人であるのに対し、カジモドが「らんちき法王」への選出と公開処刑で晒し者にされたのは自身の意思ではなかった。だが、注目される立場である点は二人に共通する。また、どちらも孤児だ。「おこもりさん」と呼ばれる老女は、幼い我が子を「ジプシー」に奪われた過去があるため、「ジプシー」のエスメラルダに罵声を浴びせた。だが、エスメラルダこそ奪われた子だったとやがて判明し、娘の処刑を止めようとした老女は役人に突き飛ばされて死ぬ。

一方、クロードが捨て子だったカジモドの養父になった背景には、弟の存在があった。聖職者になるため励んでいたクロードは、両親がペストで死んだため、歳の離れた弟ジャンを乳飲み子のうちに里子に出した。後に司祭となったクロードは、弟がこの先どんな過ちを犯そうと償われるように善行を積むとして、カジモドの養育を決める。だが、弟は放蕩三昧に育ち、兄を悩ませ怒らせる。物語冒頭でグランゴワール作の聖史劇をやたら野次るのがジャンであるあたり、厳格な聖職者のクロードと対照的だ。養育を始めた理由からしてカジモドに対するクロードの態度には、愛憎半ばする弟への感情が投影されている。

『ノートルダム・ド・パリ』は、ディズニーのアニメ化以前から何度も映像化されてきた。踊り子で華やかなエスメラルダと異形のカジモドの組みあわせや、世界的に有名なノートルダム大聖堂での攻防戦など、視覚的魅力の多い物語だからだろう。聖人や怪物の彫像が据えられた大聖堂の外観。顔も体も歪んだ男がその壁面を身軽に上り下りし、美女をさらうかと思えば、人を落として殺す怪奇色。後半では処刑から逃れるため大聖堂にいるしかないエスメラルダを救おうと、クロパンを首領とする「奇跡御殿」の連中が攻めてくる。その暴動に対しルイ十一世が鎮圧を命じ、軍が駆けつける。難聴のカジモドは事態を把握できないまま反撃し、大聖堂の上から石や木材を投げ落とす。修繕工事のため火にかけられていた窯を彼が倒し、溶けた熱い鉛が石造りの雨どいを伝って人々に降り注ぐ。そんなスペクタクルな展開も映画化にふさわしい。トーキーの時代になってからは、庶民の祭りや踊りとキリスト教の聖歌や鐘といった音響面のコントラストも魅力に加わった。

ディズニー版以前の主な実写映画化としては、三作をあげられる。このうちジャン・ドラノワ監督、ジョルジュ・オーリック音楽（ジャン・コクトー版『美女と野獣』一九四六年の音楽も彼）の『ノートルダム・ド・パリ（ノートルダムのせむし男）Notre-Dame de Paris』（一九五六年。フランス）は原作に比較的忠実だったが、ウォーレス・ワースリー監督『ノートルダムのせむし男 The Hunchback of Notre Dame』（一九二三年。アメリカ。白黒サイレント）、ウィリアム・ディターレ監督『同前』（一九三九年。アメリカ。白黒）は、いずれも原作を改変していた。小説では結婚するフェビュス以外、エスメラルダもクロードもカジモドも死んだ。これに対し、一九二三年版も一九三九年版も主要三人がすべて死ぬのではなく、なんらかの愛が成就し、ハッピーエンドの体裁をとっている。さらに、二作とも、キリスト教の聖職者を悪役にすることを避けた。この種の改変は、ディズニー版に引きつがれる。

一九二三年版ではエスメラルダへの欲情から悪行に走るのはクロードではなく弟ジハン（原作のジャン）だ。フィーバス（フェビュス）には婚約者がいるが、エスメラルダと真実の愛に目覚める設定である。終盤で彼女を襲ったジハンをカジモドは投げ落とすが、その最中にカジモドは刺されている。ジハンに負わされた怪我から回復したフィーバスとエスメラルダが抱きあう姿を目撃し、悲嘆した直後、カジモドは鐘を鳴らし息絶えるのだ。その三人の明暗にクロードとグランゴワールが立ち会う結末になっている。

一方、一九三九年版の悪役は司法長官ジャンであり、大司教の兄クロードはあくまで聖域である大聖堂を守る存在だ。ジャンは、移民と印刷術を敵視する権力者と設定されている。ユゴーの原作には、人間の精神を表現する形式は十五世紀に建築から書物へ変わったとする認識が記されていた。

人間の思想は、永遠に生きるために、建築よりもさらにじょうぶで、持ちがよいばかりか、もっと簡単で容易な手段を発見したのである。建築は王座から追われてしまった。グーテンベルクの鉛の文字が、オルペウスの石の文字にとって代わったのである。

「書物は建物を滅ぼそうとしていた」のである。

（『ノートル＝ダム・ド・パリ』）

一九三九年版はこのモチーフをクローズアップし、ジャンは、民衆の反抗の道具になりうる印刷術の革命性を危惧し取り締まる。それに対し、エスメラルダは魅力的な踊り子であるだけでなく、大聖堂で出会ったルイ十一世に「ジプシー」弾圧の規制を解くよう頼む場面も用意されていた。「奇跡御殿」の描写や大聖堂襲撃など、原作にあった虐げられた人々の反抗というテーマを、一九三九年版はより強調したのだ。それは、エスメラルダをめぐる多角関係にも影響している。嫉妬したジャンがフィーバス（フェビュス）を刺し、エスメラルダに罪をかぶせる展開は原作をなぞる。だが、フィーバスは回復せず死に、物語の前面に出てくるのはグランゴワールだ。

「奇跡御殿」で死刑にされそうになった彼を救うため、エスメラルダが結婚を申し出た。原作では彼女が妻になるのは形式だけである。だが、詩人グランゴワールは、一九三九年版では印刷術の時代を象徴するキャラクターであり、エスメラルダを救うためパンフレットを作成する。「奇跡御殿」首領のクロパンを中心とした物理的蜂起とともに、文字による啓蒙、煽動が描かれるのだ。エスメラルダは女好きのフィーバスとの恋は本物でなかったと悟り、危機から救われた後はグランゴワールと結ばれる。カジモドは、愛しい人を襲ったジャンを殺すが、結局、一人とり残されてしまう。エスメラルダとグランゴワールの仲睦まじい様子を高所から目撃したカジモドが、ガーゴイルにもたれかかり「この身が石であればよかったのに」と嘆いて映画は終わる。

一九二三年版も一九三九年版も、聖職者が犯罪に走る設定は避け、聖と俗を別の人物に分離した。一九三九年版の場合、ジャンがクロードに殺人を告白するなど兄弟の愛憎を扱ってもいるが、兄に善、弟に悪を振り分けている。一人のなかに光と影が同居するのが原作の人物描写の面白みだったのに、二つの映画は、聖職者を悪役とした場合の世間からの非難を避ける意図で悪役を単純化した。また、最終的に真実の愛が成就することで、エスメラルダの軽率さは薄められた。結婚を凡庸な悲劇とみなすような原作の皮肉な視点は、後退している。大衆が受け入れやすいように脚色した結果が、この形だった。ただ、エスメラルダにとってのハッピーエンドへと改変したが、カジモドの愛は成就しない。彼女の意思はともかく死後に結ばれるという彼の一方的な達成は奪われた。大衆向けの選択だったらしい結末の幸せをめぐるそうした不均衡も、ディズニー版に受け継がれる。

シラノ、エレファント・マン

不細工な男の実らぬ恋を主題にしたフランスの古典としては、ユゴーが『ノートルダム・ド・パリ』を発表した六十六年後の一八九七年に初演されたエドモン・ロスタンの戯曲『シラノ・ド・ベルジュラック』も知られている。詩人で軍人のシラノは従妹のロクサーヌに恋しているが、大きすぎる鼻に劣等感を抱き、想いを明かせない。ロクサーヌは、軍でシラノの同僚であるクリスチャンを慕い、彼も彼女に恋している。しかし、クリスチャンは美しい青年だが口下手で文才がないのに対し、ロクサーヌは愛する相手は美しいだけでなく才気がなければと考えているのだ。シラノは自分の想いを隠して二人の恋の橋渡しをする。

クリスチャン （絶望して）華やかな弁舌が欲しい！
シラノ （唐突に）貸してやるよ、俺が！
君は、心惑わす美しいその肉体を貸してくれ。
俺たち二人で、恋物語の主人公になろう！

（『シラノ・ド・ベルジュラック』）

シラノが手紙を代筆して恋は進展するが、クリスチャンは借り物の口説で芝居するのが苦痛になり、自力でロクサーヌと話してみるがうまくいかない。それを打開しようとプロンプター役になったシラノは、夜陰に乗じ腹話術状態でクリスチャンのふりをして彼女と会話したりする。二人一役のコンビがともに戦場へ行ってから、シラノは、相棒に断らずロクサーヌに手紙を出しまくる。彼女は、たとえあなたが醜くなっても愛すると誓う。姿形より言葉で表現された精神を愛するというのだ。しかし、クリスチャンが戦死し、恋の終わりを感じたシラノは自分も死ぬしかないと思う。かつて母に醜い子だと思われていた彼は、女から愛されると考えることができない。王子の醜さが日の光で消えてなくなるのは、「お伽噺の中の話だ」とシラノは考える（光文社古典新訳文庫版で訳者・渡辺守章は、「お伽噺」の例に『美女と野獣』をあげている）。ロクサーヌに愛されているのはもう一人のほうだと、シラノもクリスチャンも考えており、自分そのものを愛してもらえないと嘆く。『ノートルダム・ド・パリ』では、一人のなかに相反する性質が同居するもの同士が関係したための混乱が描かれるが、『シラノ・ド・ベルジュラック』では一体であるべき姿形と言葉が分離した男二人と、それになかなか気づかない女によって悲喜劇が展開される。

不細工な男が、恋する彼女とその人が想う美男との仲をとりもつ構図は、日本映画『男はつらいよ』シリーズで渥美清が演じたフーテンの寅さんなどに引きつがれた。同様の要素は、『シラノ・ド・ベルジュラック』以前にユゴーの『ノートルダム・ド・パリ』にも含まれていた。カジモドは処刑寸前だったエスメラルダをさらい、大聖堂にかくまう。献身的につくす異形の男に彼女は感謝するが、恋しくて忘れられないフェビュスが下界にいるのを見かけ、遠くて届くはずがないのに懸命に呼びかける。それを見たカジモドが連れてきてやろうかというと、とても喜ぶのだ。だが、フェビュスのところへ行き、カジモドがきてくれと懇願しても相手にされない。耳の遠いカジモドはコミュニケーション能力に難があるし、シラノの知性もないためうまく立ち回れないのだ。『美女と野獣』のヴィルヌーヴ版では、王子の姿が醜い野獣に変えられるだけでなく知性も奪われるが、魔法が解ければ元の状態に戻れた。だが、カジモドは、姿も愚かさも変化しない。シラノとクリスチャンのように誰かと組んでことを成す展開もない。

一方、『ノートルダム・ド・パリ』の三度の主な実写映画化（一九二三年、一九三九年、一九五六年）の後に、奇形の人物が主人公で注目された映画といえば、デヴィッド・リンチ監督『エレファント・マン』（一九八〇年）がある。実在したジョゼフ・メリックをモデルにした作品である。骨格が歪み、頭部が肥大して左右の腕の太さが違うなど体中が変形し皮膚が荒れた彼は、象人間と呼ばれた。見世物小屋で展示されていたメリックは、その体に興味を持った医師によって研究のため病院に連れていかれ、居場所が与えられる。体の形状のため機敏に動けず、明瞭に話せない彼は愚鈍と思われていたが、人並みの知性を持つと判明する。その存在が新聞で伝えられると上流階級が関心を示し、一種の有名人になるのだ。医学的関心、慈善、好奇心が入り混じり、障碍者を受け入れた美談なのか、偽善にすぎないのか、判然としない状況になる。

同映画の公開前、バーナード・ポメランス脚本による舞台版『エレファント・マン』(一九七七年初演)が上演され、主役のメリックをロック・スターのデヴィッド・ボウイが務めたこともあった(一九八〇 - 一九八一年)。映画はその芝居とべつのストーリーで作られたが、メリックと彼に興味を抱いた医師のトリーヴス、女優のケンドール夫人との関係が軸になる点は共通する。二人はいずれもメリックに同情心を抱くが、トリーヴスは最初、学問的功名心から興味を抱いたのであり、ケンドール夫人の関心の背景には、舞台に立つ自分と見世物小屋や報道で見られる側に居続けた障碍者との親近性があったようにうかがえる。舞台版ではケンドール夫人にメリックがシェイクスピア『ロミオとジュリエット』に関する見解を語り、映画では二人が朗読でロミオとジュリエットのやりとりを再現するのだ。家族同士が対立する男女のこの恋物語への言及はメリックの知性をあらわすだけでなく、彼が対面する相手と異族のごとき存在であることを観客に再認識させる。『ロミオとジュリエット』を引用した同様の場面は、ディズニーのアニメ版『美女と野獣』にもあった。また、芝居でも映画でも、メリックが教会の模型を作っていたエピソードが挿入され、ある種の宗教的イメージが喚起される。舞台版ではメリックは司教と話したとされ、映画では彼が聖書の詩篇を暗唱したことが知性の証明のように扱われる。

舞台版ではかぶりものなどで奇形を視覚化しようとはせず、主役は体の姿勢や喋りかたなどでメリックを演じた。それに対し、映画版は、奇形を表現した特殊メイクが一つの売り物となり、興味の抱かせ方がホラーに近かった。この点は『ノートルダム・ド・パリ』の一連の映像化と通じる。そして、『エレファント・マン』は、舞台版も映画版もそれぞれのやりかたでメリックの性、肉体を焦点化する場面を用意した。舞台版では、メリックの研究者兼庇護者のトリーヴスが「女の人こそ、あの男を孤立から救う鍵だと、私は確信しています」とケンドール夫人に話す。メリックが女性を敬愛していても、女性こそが彼への恐怖と嫌悪を示してきたからだ。ケンドール夫人は、事前にメリックの体の写真を見ており、性器に異常がないこともトリーヴスに確認していた。メリックが彼の研究材料だから、そんなやりとりが可能になる。彼女はメリックと面会を重ね親しくなるが、先に彼の体の写真を見たのは不正義だったと思うようになった。通常の人間同士なら、しないことだからだ。このため、面会中に服を脱ぎメリックに裸体を見せるが、それを知ったトリーヴスは激怒する。

一方、映画版では二人が『ロミオとジュリエット』をなぞったやりとりをした際、ケンドール夫人が「あなたは象人間なんかじゃない。ロミオよ」といって、メリックの頬にキスする。この場面は人間的なふれあいととらえていい。だが、病院の夜警が密かに来訪者から金をとって院内のメリックを見世物にしていた。ある日、夜警は酔った一団を病室に入れ、悪ふざけで女たちとメリックをキスさせる。その際、メリックが作った教会の模型が壊されるのは、彼の尊厳が悪徳に汚されたことの反映なのだろう。ケンドール夫人が同情や親しみから裸を見せたりキスしたりすること、酔った見物人がメリックを玩具にすること。気持ちのありかたは反対だが、どちらも彼が一般的な性や恋愛から疎外されていることを示すエピソードだ。

メリックは、奇形の人々を見世物とすることが国や地域によって公序良俗に反すると批判され、排斥され始めた時代に生きた。それと関連して居場所を移動することになる。映画ではメリックが病院から元いた場所へ連れ戻され、再び見世物にされる。そこから逃げ出すものの、街なかでマスクを剝がれて人々にとり囲まれ「僕は動物じゃない。僕は人間だ」と叫ぶ。病院での生活に復帰した彼は、ケンドール夫人が出演する劇場に招待される。幕が下りた後、彼女が今夜の芝居を大切な友人に捧げると述べ、メリックを紹介するとスタンディングオベーションが起こり、彼はバルコニー席から観客にぎこちなく会釈する。人々が障碍者を差別せず受け入れたという図式であり、この場面を中心に映画は感動の物語だと宣伝された。だが、ケンドール夫人との距離は頬にキスしてくれた時より、舞台上とバルコニー席でむしろ大幅に離れたのだ。

見世物小屋に展示され、病院に囲いこまれるメリックと舞台に立つ女優であるケンドール夫人の関係は、「らんちき祭り」で晒し者にされる前には鐘楼に引きこもっていたカジモドと踊り子のエスメラルダの関係に相似する。ディズニーのアニメ版『ノートルダムの鐘』（一九九六年）は、『エレファント・マン』的な感動の図式を大枠としつつ、『シラノ・ド・ベルジュラック』にあった不細工な主人公が美男美女の橋渡しをする展開にならい、恋敵二人の協力という形で成立したようにみえる。

『ノートルダムの鐘』のハッピーエンド

アニメ版『ノートルダムの鐘』は、主な観客として子どもを想定するディズニー映画らしく、異形のカジモドも丸みを帯びた親しみやすい姿にデザインされた。主要人物で死ぬのは、悪役のクロード・フロロのみ。エスメラルダとフィーバスが結ばれるラストは実写の一九二三年版から、カジモドは死なないがエスメラルダと別の男の仲睦まじい場面を見てしょんぼりする展開は一九三九年版から受け継いだ。ただ、一九三九年版とは異なり、カジモドが孤立したまま終わるのではなく、人々に歓呼とともに迎え入れられ、恋愛は成就しないにせよ彼にとっても一種のハッピーエンドであるようにまとめられている。

アニメ版は、それ以前の実写映画化以上に主要人物のキャラクターが単純化されている。グランゴワールは登場せず、街の語り部的な役割はクロパンが兼ねる。クロード・フロロは最高裁判事の設定であり、「ジプシー」を排斥する自分こそ正義と信じている。若い頃の彼は、聖域のノートルダム大聖堂に逃げこもうとした「ジプシー」を殺し、彼女が抱いていた醜い赤ん坊を井戸に捨てようとした。だが、大聖堂の司祭に見咎められ、罪の償いとして養育するよう命じられる。その子こそカジモドだ。以前の映画化では、司祭と判事を兄弟とする設定もあったが、本作では他人である。原作のクロード個人にあった善悪の二面性を兄弟の相克という設定へスライドすることもなく、人物同士の関係も簡素になっている。

もとのストーリーでは、カジモドは養父のクロードに命じられたためとはいえ、エスメラルダを襲ったことで公開の場で刑に処せられた。カジモドの純真さを強調するアニメ版にそのくだりはない。難聴のためコミュニケーション能力が劣る設定もなく、人並みの知性を持つ青年として描かれる。「道化の祭り」（「らんちき祭り」）に興味がある彼は、世間は残酷だから大聖堂から出るなというクロードのいいつけを破る。祭りの催しで最も醜い「道化の王」（「らんちき法王」）に選ばれたカジモドは、群衆からいじめられ晒し者にされてしまう。原作ではべつになっている催し物の場面、公開刑罰の場面が一つにまとめられているのだ。エスメラルダが、カジモドは仮面をかぶっていると勘違いして「道化の王」選びに参加させた結果、彼は屈辱を受けた。その後悔と同情から彼女は彼に優しく接する。

フィーバスは浮気者ではなく、クロードの「ジプシー」敵視政策に反感を持つヒーロー然とした存在だ。エスメラルダは体制側の軍人である彼を敵とみなし、出会ってすぐ戦うが、間もなく魅かれあうようになる。クロードはエスメラルダに欲望を覚えて執着し、逃亡する彼女を捕まえようと「ジプシー」狩りを激化していく。それに従わないフィーバスは、クロードに命じられた兵から攻撃され重傷を負う。そうして傷ついた彼をエスメラルダは大聖堂へ連れていき、カジモドにかくまってくれるよう頼む。その後、「奇跡の法廷」(「奇跡御殿」)に身を隠したエスメラルダのところへ危険が迫っていることを知らせるため、フィーバスとカジモドは連れ立って出かける。終盤でカジモドがクロードとの対決後に墜落すると、フィーバスが抱きとめて命を救う。ともにエスメラルダを想ってぎくしゃくしていた二人が、友情を結ぶのだ。一九五六年の実写映画版には「可哀想なカジモド。フェビュスにあなたの心があったら」というエスメラルダのセリフがあったが、アニメ版ではそこまでの一体化はないにしても二人の協力関係が成立した。ラストではカジモドがエスメラルダとフィーバスの手をとって重ねあわせてやる。シラノ・ド・ベルジュラック的にカジモドが、美男美女の橋渡し役を引き受けるわけだ。

続く場面でエスメラルダが、大聖堂前に集まった群衆にカジモドをひきあわせる。圧制者だったクロードと対決し、エスメラルダを救ったカジモドは、英雄として喝采でみんなに迎えられる。このエンディングは、『エレファント・マン』のメリックが、劇場で観客からスタンディングオベーションを受けたことを想起させる。高橋ヨシキも『暗黒ディズニー入門』(二〇一七年)で指摘しているが、アニメ版『ノートルダムの鐘』でカジモドが鐘楼から見下ろした街の模型を作っているのは、メリックが教会の模型を作っていたことを踏襲しているのだろう。

一方、クロードは、「道化の王」に選ばれたカジモドが目前でいじめられても助けず、こらしめるため晒し者にし続ける。さらに、哀れな彼に救いの手をさしのべるエスメラルダを制止する。だが、彼女は応じず、クロードの「ジプシー」差別を批判し、カジモドが道化の王様だというのは間違いで「最も愚かなのはあなたよ」と面罵するのだ。『美女と野獣』物語のヴァリエーションでは、野獣より怪物的な人間が存在するというモチーフが登場したが、エスメラルダの面罵はそれに類するものだろう。彼女はその後、フィーバスと剣を交えた際に互角の戦いをするし、序盤から強く自立したヒロイン像が打ち出されている。『ノートルダムの鐘』のクロードは、カジモドとの闘いのなかで高所から転落する。とはいえ、カジモドが直接手を下すのではなく、クロードのつかまっていたガーゴイルの目が光った後、それが砕け墜落するのだ。その場面は、ディズニーのアニメ版『美女と野獣』(一九九一年)で野獣を殺そうとしたガストンが高所から落下し自滅した展開をなぞっている。ディズニー・アニメ版の『美女と野獣』と『ノートルダムの鐘』は、監督がゲーリー・トゥルースデイルとカーク・ワイズ、音楽がアラン・メンケンなど、スタッフが重なっていて共通した部分が少なくない。

いずれもミュージカルのスタイルをとった二作は、オープニングの曲で街の風景が描かれ、主人公がその地域でどのような立場にあるかが歌われる。『美女と野獣』ではベルが行きから人々と挨拶を交わすものの、周囲は彼女を変わり者とみていることが示される(「朝の風景 Belle」)。『ノートルダムの鐘』では、大聖堂を見上げる街路にいるクロパンが人形劇でカジモドの来歴を語り伝え、過去のシーンが挿入されつつ、鐘楼で孤独に暮らす主人公の現在が紹介されるのだ（「ノートルダムの鐘 The Bells of Notre Dame」）。また、物語終盤でそれぞれ城、大聖堂に大勢が攻め寄せ、悪役が自滅した後、これまで醜いゆえに排除され孤独だった者が、人々に受け入れられ和解する結末も相似する。

逆に二作の差異として大きいのは、『美女と野獣』が魔法の物語であったのに対し、『ノートルダムの鐘』は大聖堂という舞台からして宗教性が強いことだ。ミュージカル・スタイルの同作では、主要人物が自身の心情を歌で吐露する（作詞はスティーヴン・シュワルツ）。興味深いのは、クロードとエスメラルダという一方的な欲情と拒絶で敵対する二人それぞれの持ち曲が、いずれも聖母マリアにむかって歌う形であることだ。物語は、手前勝手な正義を振り回すクロードが多くの人を苦しませている父権主義的な磁場で展開される。だが、ノートルダムとはフランス語で「我らの貴婦人」を意味し、聖母マリアを指す。法の効力がおよばない聖域であり、なかに逃げこんだものを守る大聖堂は聖母の胎内のごとき母性的な場所といえるだろう。

クロードは「罪の炎 Hellfire」で、公正な人間であるはずの私の脳裏からエスメラルダの踊る姿が消えない苦しみは、地獄の炎のようだと歌う。あの魔女が我がものにならないなら、滅ぼしてくださいとマリアへ訴えかける内容だ。自分はたぶらかされた被害者だと他罰感情をつのらせるこの歌は、サディスティックでマゾヒスティックでもある激情を聖母にぶつける点で倒錯的な凄みがある。

これに対し、エスメラルダによる「ゴッド・ヘルプ God Help the Outcasts」は神に救いを求める曲だが、アニメ版で彼女は幼いイエスを抱くマリア像にむかって歌う。社会から排除される「ジプシー」の祈りが届くかわからないけれど、あなたもかつて追放されたのではないかと呼びかける。それはイエスが迫害されたことをいっているのだろう。他の参拝者が富や名声を祈るのとは違い、エスメラルダは虐げられた人々の幸福を祈る。聖母マリアをはさんで、自分の感情にかまけひたすら他罰的なクロードと、利他的な愛をあらわすエスメラルダの対照的な姿勢が浮かぶ。人物の設定や関係が原作より単純化されたアニメ版において、聖母マリアを介してエスメラルダと対比された「罪の炎」のクロードは、信仰と罪の意識の相克を描いているだけに、最高裁判事の設定でありながら聖職者である原作の人物像に近づく。ここには、聖と俗、光と影のせめぎあいが感じられ、見ごたえがある。

また、アニメ版で特筆すべきはカジモドが歌うことだろう。実写映画の一九三九年版や一九五六年版もそうだが、祭りや踊りといった市中の世俗的なざわめきと、大聖堂の鐘や聖歌の荘厳さの音楽的な対比がこの物語の大きな魅力であり、それらはもともとユゴーの原作に含まれていた要素だ。ヒロインが踊り子で広場も大聖堂も歌のある空間なのだからミュージカル化され、主要人物がみな歌うのは当然の脚色である。そして、原作にもカジモドが歌う場面はあったのだ。エスメラルダを救出し鐘楼に連れ帰った彼は「奇妙な哀しげな歌」を口ずさむ。その詞を抜粋しよう。

姿を見ちゃいけないよ、
お嬢さん、心を見てくださいな。
（中略）
ああ！　言ったところでかいもない。
きれいじゃないやつぁ死ぬがいい。

器量自慢は器量が好きで、四月は一月に背を向ける

（『ノートル＝ダム・ド・パリ』）

愛しい人がそばにいる喜びと自身の醜さによる気おくれが、ないまぜになった歌だ。一方、アニメ版『ノートルダムの鐘』のカジモドは、大聖堂の外への憧れを吐露する「僕の願い Out There」のほか、恋愛への憧れと醜さの自覚、優しくしてくれたエスメラルダに対し芽生えた想いを「天使が僕に Heaven's Light」で歌う。後者の曲は、原作におけるカジモドの歌と通じあうところがあり、天国（Heaven）と地獄（Hell）、優しい光（Light）と業火（Fire）でクロードが歌う「罪の炎」と対をなす。ただ、エスメラルダはクロードを拒絶しただけでなく、カジモドを友人にはしても恋人に選んだのはフィーバスなのだ。

アニメ版には、カジモドが大聖堂の上層にエスメラルダを連れていき、そこから見下ろすパリの景色の素晴らしさを教えるくだりがあった（後に触れるミュージカル版『ノートルダムの鐘』では「世界の頂上で Top of the World」が歌われる）。この場面は、ディズニーのアニメ映画で『ノートルダムの鐘』の四年前に公開された『アラジン』（一九九二年）の名シーンを想起させた。同作の代表曲「ホール・ニュー・ワールド」が流れるのは、下町の青年アラジンが空飛ぶ魔法の絨毯にジャスミン王女を乗せる場面だった。だが、『アラジン』では身分違いの二人が相思相愛になるのに対し、『ノートルダムの鐘』でカジモドの恋は実らない。先に触れた通り、そもそも『ノートルダムの鐘』は『美女と野獣』と大枠が共通しているだけにこの二作を比べると、野獣が愛を成就させるのに、カジモドが片想いに終わる差異が目立つ。グレタ・ガルボはジャン・コクトー版『美女と野獣』ラストの野獣から王子への変身を見た際、「私の野獣を返して」と叫ん

だというが、カジモドはいわば王子に変身しない野獣である。ディズニーがカジモドの物語の子ども向けで従来以上に大衆的なヴァージョンを作ると決めた際、主人公は死なないものの愛した美女は美男と結ばれ、恋は成就しない結末を選んだ。だが、友人を得て人々に受け入れられ、孤独からは脱する筋立てである。それが異形の彼に与えうる最大限のハッピーエンドであるかのように。

フリークスの愛の成立と不成立

アニメ版『ノートルダムの鐘』でカジモドに与えられたハッピーエンドが、映画『エレファント・マン』におけるメリックへのスタンディングオベーションを反復しているのは明らかだ。『エレファント・マン』が注目された一九八〇年代初頭、同作に関して喧伝された慈善と感動が偽善的だと批判する声はあったし、それに伴って再評価された映画が、トッド・ブラウニング監督『フリークス（怪物團）』（一九三二年）だった。

同作では、実際に奇形である人々（フリークス）が、舞台となる見世物小屋の団員を演じた。物語ではその一人、小人のハンスが、同じく小人のフリーダと婚約する。だが、健常者で軽業師のクレオパトラは、ハンスが自分に魅かれていることにつけこみ、彼が相続した遺産を目当てに誘惑し結婚に持ちこむ。彼女は、裏では同じく健常者で怪力男のヘラクレスと通じていた。ハンスとクレオパトラの結婚を祝う席で、浮かれるフリークスたちが「One of Us（我らの仲間）」とはやし立てるとクレオパトラは「汚らわしい」と激怒し、差別する態度をあからさまにする。その後、彼女がハンスに毒を盛っていることを知ったフリークスたちは復讐を実行し、クレオパトラは異形の体にされ見世物にされた。自分が「汚らわしい」といったものに変えられたのだ。ハンスはフリーダと再会し、小人同士で再び愛しあうようになり、幕は閉じる。

『フリークス』は内容が残酷でグロテスクと批判され、イギリスで公開が三十年以上禁止されるなどいわくつきの作品となったが、後に再評価が進んだ。同作は『エレファント・マン』のように異形の人々が見世物にされたりケアされたり、受け身になるだけではない。虐げられることに抗い、能動的に立ちむかう。その点に快哉の声をあげるむきは少なくない。映画版『エレファント・マン』にしても、見世物小屋に連れ戻されたメリックが団員仲間の協力で脱走するシーンなどに『フリークス』からの影響がうかがわれた。また、奇形の自分を愚弄したものへの復讐という意味では、カジモドによるクロードへの逆襲は『フリークス』に先行していたといえる。

実在した興行師P・T・バーナムを主人公にしてヒットしたミュージカル映画『グレイテスト・ショーマン』(二〇一七年)も、小人や結合双生児など異形の人々が出演するショーをめぐる物語である点は、『フリークス』と共通していた。ショーが新聞で酷評されるだけでなく、フリークスたちはパーティに入れられず差別され、街の恥だと地域の一部から攻撃される。それに対し、自分たちを敵視する人たちと対峙して「This Is Me(これが私)」とフリークスたちが高らかに歌う場面が『グレイテスト・ショーマン』の一つの見せ場だった。『フリークス』の「One of Us」という仲間入りへの誘いかけから、『グレイテスト・ショーマン』の「This Is Me」という自己主張へキーワードが交代したようにみえるのが暗示的だ。ここには、近年の多様性(ダイバーシティ)称揚に至るまでの時代変化がうかがえる。ただ、『グレイテスト・ショーマン』でも、貧しい労働者の家に生まれたバーナムと裕福な家に育った妻チャリティ、上流階級出身で劇作家から演出家になったカーライルとアフリカ系のブランコ芸人アンという社会的身分や人種の違いを超えた愛の困難と達成は語られるのに対し、異形の人々の仲間意識は描かれても恋愛はあつかわれない。

さかのぼれば、ヴィクトル・ユゴーは『ノートルダム・ド・パリ』の三十八年後、主人公が異様な顔をしており、見世物小屋が出てくる小説『笑う男』(一八六九年)を発表していた。幼い頃に口の脇を裂かれたうえで縫われ、笑ったままのような顔にされたグウィンプレンが主人公だ。孤児の彼は、吹雪のなかで助けた幼女とともに興行師ウルサスのもとに身を寄せ、育てられる。デアと名づけられた幼女は、盲目だった。ウルサスたちはショーをして回り、グウィンプレンは特徴的な「笑顔」を使ったパフォーマンスで観客を楽しませる。彼は、デアと愛しあうようになっていた。だが、グウィンプレンが貴族の息子と判明したことから、べつの女性との結婚話が持ちあがったり逮捕されるなど、周囲の思惑に翻弄される。紆余曲折を経て、彼はデアのところへ帰ろうとする。同作はしばしば映画化、舞台化されてきたが、パウル・レニ監督のサイレント映画『笑ふ男』(一九二八年)は、主人公の造形が後の『バットマン』シリーズの悪役ジョーカーに影響を与えたことで知られる。『笑ふ男』では、グウィンプレンがデアと再会し、彼が真実の愛に回帰してハッピーエンドとなる。しかし、原作ではグウィンプレンとの再会前にデアが病死し、彼も海に身を投げてしまう。いずれにせよ、顔と視力に不幸を負った二人が、結びつこうとしたのだ。

『笑う男』、『フリークス』、『グレイテスト・ショーマン』は、育ちや身分の違いを超えることの困難とともに、身体に障碍があるもの同士の愛情や理解が描かれた物語である。『エレファント・マン』のメリックにも見世物小屋時代の仲間がいた。だが、『ノートルダムの鐘』ではカジモドが他の障碍者と友情を結ぶ展開はなく、大聖堂の外の人々に迎え入れられる場面がハッピーエンドとして提示された。ディズニーはなぜ、エスメラルダがカジモドではなくフィーバスと結ばれるストーリーを選んだのか。世間は美男と美女の恋愛を望むという営業的判断以外の理由も考えられる。『美女と野獣』では意気消沈したり体が弱ったりした父および野獣をベルがケアするという部分が、ディズニーのアニメ版、実写版では薄められ、彼女の自立心や冒険心を強調するアレンジされていたことは前章で語った。父や夫をケアして支える旧来の保守的な女性像から、男性と対等な女性像へ。このようなヒロイン設定へのシフトは、一九九〇年代以降のディズニーで一貫してきた傾向だ。

一方、カジモドは、重いものを持ちあげ、大聖堂の外壁を上り下りする身軽さがあるなど身体は頑健だが、心に弱さを持つ。クロードは、社会から排除すべきと信じる「ジプシー」の赤ん坊であり醜かったカジモドを殺そうとしたが、司祭に叱責され養育することにしたのだった。カジモドはその事実を知らずクロードは醜い自分を育てケアしてくれた恩人と信じていた。エスメラルダのおかげでその長年の呪縛が解け、養父にようやく反抗するわけだ。ただ、カジモドの生い立ちの不幸の強調は、ケアを必要とするキャラクターであると感じさせることにつながる。それでは、対等な恋愛を志向して更新されたディズニーのヒロインの恋人役には収まりがよくない。エスメラルダが彼に同情や友愛をあらわすのにとどまるのも、物語における必然だろう。

石像と骸骨

ディズニーは一九九九年にアニメ版をベースにして『ノートルダムの鐘』をミュージカルへ脚色し、ドイツのベルリンで上演した（ドイツ語訳は『エリザベート』などの脚本を担当したミヒャエル・クンツェ）。だが、アニメ版やその舞台でも使われたアラン・メンケンの曲を用い続けながら、後にピーター・パーネル脚本で設定やストーリーの一部を変更し、スティーヴン・シュワルツの詞にも手を加えた新ヴァージョンの舞台が作られ、二〇一四年より上演された。二〇一六年から劇団四季が日本で上演し私が観たのも改変版である。全体的に原作の要素をとり入れ直した内容であり、クロードをアニメ版の最高裁判事から司祭に戻したほか、カジモドも鐘による難聴がある設定だ。アニメ版とは違ってエスメラルダは、カジモドに助けられ大聖堂に連れていかれるものの、すでに衰弱しており死んでしまう。このため、クロードはただ落下して自滅するのではなく、彼に罰を与えようと明確に意図したカジモドに投げ落とされる。また、脚本のアレンジで優れているのは、カジモドがクロードの弟ジェアン（ジャン）と「ジプシー」女性の子としたこと。亡き二人のかわりに養親になった経緯の導入で、聖職者クロードが自由人だった弟に抱く愛憎のカジモドへの投影という関係性が原作以上に強調された。聖と俗、美と醜、光と影など相反する要素が隣りあう『ノートルダム・ド・パリ』本来のテイストに、このヴァージョンは、かなり回帰しているのだ。

もう一つの特徴は、移民や貧民など下層の人々が、自分たちを差別し抑圧するクロードを代表とする権力側に反抗する図式が、アニメ版以上に明確なことだ。これについては、リシャール・コッシアンテの音楽、リュック・プラモンドンの脚本と詞でディズニー版とはべつに作られたもう一つのミュージカル版『ノートルダム・ド・パリ』が、一足早く一九九八年に初演を迎えた影響もあるだろう。同舞台ではノートルダムに押し寄せる下層の人々を、一九九六年のパリのサン・ベルナール教会占拠事件におけるサン・パピエ（不法滞在の外国人）と重ねた演出になっていた。もともと『ノートルダム・ド・パリ』の「ジプシー」描写には、各国で続く移民問題と響きあうところがあった。この物語の怪奇、芸能といった要素に加え、時代を超えた社会問題であると同時にスペクタクルでもある群衆の抵抗というモチーフの存在が、繰り返しリメイクされてきた理由でもあるだろう。

ピーター・パーネル脚本版『ノートルダムの鐘』では、エスメラルダがかくまわれた大聖堂が聖域であるにもかかわらず、クロードは兵たちに攻め入るように命じる。それに鐘楼のカジモドが対抗するだけでなく、フィーバスがもう耐えるのはやめて立ち上がれと群衆をうながす。原作の主人公は難聴で知能も十分でないゆえに事態を把握できぬまま闇雲に戦ったが、ここでの彼の行動は、革命に似た群衆の蜂起とはっきりと呼応している。

劇団四季による初演の舞台を観た際、印象的だったのは、建物のセットだ。それは多くの場合、大聖堂に見立てられるわけだが、上から鐘が吊り下げられている時には建物の内部に、ステージ上を一般庶民が行き来すれば建物の外部になる。セットが歓楽街に化けたり、「奇跡御殿」に変わったりもする。木組で表現された壁が、同じものでありながら内側と外側がくるくる入れかわる。その場面転換は見た目の面白さだけでなく、物語のテーマにも即した演出だったといえる。

同舞台の日本初演直後にアメリカ大統領に就任したドナルド・トランプは、メキシコからの移民をせき止めるため国境に壁を建設すると公言して当選したのだ。アメリカに限らず各国で移民排斥や外国人へのヘイトが強まる時期だった。自分たちのいる場所から異分子を排除しようとする保守的な態度と、人間の多様性を受け入れようとする寛容な態度の相克は、原作である『ノートルダム・ド・パリ』の頃からある古くて新しい問題だ。今も物語が生き残っているのは、異分子の排除か包容かというテーマが、現代的であり続けるからでもある。舞台上の壁は人を隔てる一方、扉を開けて受け入れもするのであり、排除と包容の両面を象徴する。また、大聖堂は司法が及ばず異分子も包容する聖域だが、その聖域側の存在であるはずの司祭が「ジプシー」排斥派であるというねじれた構図もある。壁面のセットの前で内側と外側が入れかわり続け、排除的な空間か包容的な空間かも変転していく。その果てに権力者は失墜し、群衆は勝利する。エンディングで人々は明るい未来への希望を歌う。アニメ版であれば、カジモドは恋に破れながらも群衆に歓呼で迎えられ孤独から脱するところだ。しかし、改変後のミュージカル版にそのハッピーエンドはない。原作を踏襲し、後に女の白骨を抱いた背の歪んだ男の白骨が発見され、離したらばらばらになったとセリフで告げられるのだ。子ども向けを意識したアニメ版の陽気さとは違う、原作由来のダークさをこの舞台は有していた。

アニメ版とミュージカル版に共通するアラン・メンケンの音楽は、物語の要所で「主よ、憐れみたまえ(キリエ・エレイソン)(Kyrie eleison)」と合唱で繰り返し、宗教的イメージと登場人物の性(さが)や業(ごう)を印象づけるが、このフレーズは改変後の舞台版に一番ふさわしい。また、舞台化に際し追加された曲のうち、注目したいのは「石になろう Made of Stone」だ。アニメ版では、ガーゴイルの三人組(うち二人は原作者にちなみユーゴ、ヴィクトルと命名されていた)が、カジモドをはげます親友として登場した。カジモドの内心の声が外在化したようであり、神が彼に与えた友だちのようでもあり、妄想なのか実体があるのか作中では微妙な位置にあった。『美女と野獣』で道具にされた召使いたちが、『アナと雪の女王』で雪だるまのオラフが、いずれも主人公に味方するとともに陽気に笑いをとっていたのと同様の、ディズニー・アニメにおける定番的な配役だ。アニメ版『ノートルダムの鐘』には、孤独と絶望をつのらせたカジモドがガーゴイルたちと喧嘩して「放っておいてくれ」と突き放し、三人組が石像に戻ってしまう場面があった。舞台化ではその場面に新曲「石になろう」が加えられ、脚本改変後も歌われた。だが、改変ヴァージョンでのガーゴイルは名前も位置づけも変更され、アニメ版のようなコメディ・リリーフであるよりは、カジモドの内心の代弁という側面が目立つ。スティーヴン・シュワルツ作詞の同曲から一部を抜粋する。

（カジモド）
君たちのくれた夢はもういらない
君たちの嘘ももういらない
放っておいてくれ

（ガーゴイル）
わかった　カジモド　そっとしとくよ
わかった　カジモド　もう邪魔しない
そうだね　カジモド　僕らはただの石だ
ただ僕らは思っていたんだ　君はもっと強いって

（カジモド）
やっと　ひとりになれた
もう外の世界に憧れたりしない
知らないいままにしておくんだ

人間らしいただ一つの目が
これから涙を流すこともないだろう
死ぬ日までずっと
ただ僕は石像のように過ごすんだ

（筆者訳）

引用した詞は、一九三九年実写映画版の幕切れにもあった「この身が石であればよかったのに」というカジモドの嘆きを歌として展開したようにも読める。舞台ではこの後、処刑されそうになったエスメラルダを救うため、カジモドは石像のようになることをやめ、戦う。だが、結局、彼女は絶命してしまう。彼は石像になるかわりにエスメラルダの遺体を抱いて死に、ともに骸骨となる。「石になろう」では他者との交流や接触を断念し石像と化したいと願っていたのに対し、後のカジモドは死んで彼女との想いをとげようとしたのだ。他のヴァージョンの多くや『フリークス』、『エレファント・マン』などでは描かれなかったフリークスが抱えた健常者への愛が、そのような形で死後に実現している。

『ノートルダムの鐘』では、クロードが聖職者である自分が肉欲を抱いたことに苦しむ姿がクローズアップされる。また、エスメラルダとフィーバスの恋愛も、肉体を伴った通常の男女関係を前提としている（ユゴーの原作では、宿に連れこんだエスメラルダを抱こうとしたフェビュスをクロードが刺す）。だが、エスメラルダはカジモドに友情は示していたものの恋愛感情は持っていなかった。当然、肉体関係など想像していなかっただろう。ひきこもり生活を強いられてきたカジモドが、愛をどこまで理解していたか定かではない。生まれてすぐ失った母を求めるようなものだったのか、フィーバスやクロードが抱いたのと同等のものを求めたのか判然としない。したがって抱きあった白骨という帰結は、プラトニックであるようにも死姦や強姦の一種にもイメージされ、とても異様な印象を与える。

この舞台で特徴的なのは、主演者がまず普通の人間の姿で登場してから顔に簡単なペイントをして片目のふさがった醜い容貌を暗示し、続いてクッションを背負ったうえに衣裳を着て体の姿勢を歪めて奇形を表現するという、カジモド役への変身の過程を芝居の冒頭で客に見せることだ。彼は、抱きあった白骨の顚末を語ったラストで、逆に背負ったクッションをはずし元の人間の姿に戻ってみせる。

ミュージカル版『美女と野獣』のように大がかりな扮装で野獣を演じるのではなく、素の姿が透けて見える状態で怪物と呼ばれた男の生を演じるわけだ。この演出は、『エレファント・マン』の映画版が主人公の特殊メイクを売り物にしていたのに対し、舞台版がノーメイクで演じられたのと通ずる。ユゴーの原作を踏襲したパーネル脚本版『ノートルダムの鐘』の結末は、体の歪みはともかく、人は死んでしまえばみな骨になって平等だという感覚が漂う。醜いカジモドを演じていた役者のイメージのすぐ下に素の姿があったことを再認識させる幕切れは、表面がどう見えようと彼は同類の人間だという暗黙のメッセージをおびる。男女の白骨に関する語りに素の姿を連動させることで、人並みに愛を求めたカジモドの想いが響くラストになっている。王子の姿に戻る野獣とは違って変身できないはずのカジモドに与えられたこの〝変身〟は、『美女と野獣』とはまた別種の感動を生む。

作品リスト

［小説］
ヴィクトル・ユゴー『ノートルダム・ド・パリ』1831年

［映画］
ウォーレス・ワースリー監督『ノートルダムのせむし男』1923年
出演：ロン・チェイニー、パッツィ・ルース・ミラー

ウィリアム・ディターレ監督『ノートルダムのせむし男』1939年
出演：チャールズ・ロートン、モーリン・オハラ

ジャン・ドラノワ監督『ノートルダム・ド・パリ』1956年
出演：アンソニー・クイン、ジーナ・ロロブリジーダ

ゲーリー・トゥルーズデイル＋カーク・ワイズ監督
『ノートルダムの鐘』（アニメ）1996年
出演：トム・ハルス、デミ・ムーア

［ミュージカル］
リシャール・コチャンテ作曲、リュック・プラモンドン作詞
『ノートルダム・ド・パリ』1998年

アラン・メンケン作曲、スティーヴン・シュワルツ作詞、ピーター・パーネル脚本
『ノートルダムの鐘』2014年

［関連作品］

戯曲

エドモン・ロスタン『シラノ・ド・ベルジュラック』1897年

バーナード・ポメランス『エレファント・マン』1977年

映画

デヴィッド・リンチ監督『エレファント・マン』1980年
出演：ジョン・ハート、アンソニー・ホプキンス

トッド・ブラウニング監督『フリークス』1932年
出演：ウォーレス・フォード、オルガ・バクラノヴァ

マイケル・グレイシー監督『グレイテスト・ショーマン』2017年
出演：ヒュー・ジャックマン、ザック・エフロン

小説

ヴィクトル・ユゴー『笑う男』1869年

第三章　仮面　二面性――『オペラ座の怪人』

オペラ座で謎の怪人が暗躍し、不審な出来事が続いた。彼は自らが執着する新人女性歌手を密かに指導したうえ、主役にしようとして劇場を脅す。客席にシャンデリアを落とす惨事を引き起こし、殺人も厭わない。恋人のいる彼女を、ついに怪人は棲み家である地下へ誘拐する。

犯罪と技芸と恋愛による承認欲求

右頁のような内容で知られる『オペラ座の怪人』は、過去に何度も映像化、舞台化され、小説における派生作品も少なくない。現在では、なかでも最もポピュラーになったといえるアンドリュー・ロイド・ウェバー作曲のミュージカル版（一九八六年初演）が、一つのスタンダードと化している。だが、同舞台が三角関係を中心にしたロマンティックなラヴ・ストーリーとしてまとめられている一方、残酷趣味に傾倒したホラー路線のアレンジも行われてきたのが『オペラ座の怪人』である。触れるヴァージョンが違えば、印象も異なるはずだ。

そのようにアレンジの幅が大きくなったのは、出発点であるガストン・ルルーの原作小説（一九一〇年）が、多様な要素を含んでいたためだろう。ファントム（怪人。名はエリック）が行う悪事の恐怖と彼を捜査するスリルといったミステリー色。音楽の師として現れながらストーカーと化す怪人、彼を亡き父のように慕ったがつきまとわれ恐れ始めるヒロイン、彼女の幼なじみの青年という三角関係の恋愛模様。壮麗な装飾に彩られたオペラ座の下層に地底湖や怪人のアジトがあるという建築的な興味。舞台で演じられるオペラ、怪人がヒロインに行う歌唱レッスン、彼が地下で弾くオルガンといった音楽。それら魅力的な要素のどこに力点を置き、膨らませるかでアダプテーションのテイストは変化する。

ルルー『オペラ座の怪人』を読んだ際、すぐ気づくのは、ユゴー『ノートルダム・ド・パリ』からの影響だ。ユゴーはノートルダム大聖堂、ルルーはオペラ座（シャルル・ガルニエ設計であり「ガルニエ宮」とも呼ばれる）といういずれも世界的に有名なパリの建築物を主要な舞台とした。前者は一二五〇年、後者は一八七五年と完成した時代は異なる。だが、どちらの建物にも様々な彫像があしらわれており、そこに怪物をかたどったガーゴイルと見まがうような怪人が棲みついているのだ。『ノートルダム・ド・パリ』のカジモドは鐘楼のある上層部、『オペラ座の怪人』のファントムは地底湖近くの地下室という、中心から遠い周縁を住居としているが、二人とも建物について誰より熟知している。超人的な力を持つが孤独である怪人は、一方的な愛をつのらせ、女性を自分の領域に誘拐してしまう。この骨子は、両作に相似する。後に触れる『オペラ座の怪人』のサイレント映画版（一九二五年）でファントムを演じたロン・チェイニーは、同作以前に『ノートルダムのせむし男』（一九二三年）でカジモドを演じていた。彼の起用は両作の共通性を意識したものだろう。

また、カジモドとファントムは、生まれた時から醜く、周囲から怪物扱いされて育った点が重なる。だが、聖堂のなかでろくに教育を受けずに成長し、難聴でもあったカジモドの知性が低かったのとは異なり、ファントムは狡知に長けた策略家だ。小説によると彼は、ルーアンの石工の息子として生まれたが醜さゆえに両親にうとまれ、家出したという。身を寄せた見世物小屋で座長から「生ける屍」として売り出され、巡業した頃、流浪の民から音楽と奇術をしこまれ、腹話術や曲芸も体得した。また、ペルシアに招かれ、仕掛けを施した宮殿を設計した。そうした経験を積んだうえでオペラ座の基礎工事の一部を請け負い、地下に自身の隠れ家を築いたとされる。

このように高い知能と技能を有した悪漢像は、当時のフランス文芸における流行でもあった。モーリス・ルブランによるアルセーヌ・ルパンの第一短編集『怪盗紳士ルパン』が刊行されたのは一九〇七年、ピエール・スーヴェストルとマルセル・アランの共作で始まったファントマの第一作『ファントマ』の刊行も一九一一年であり、『オペラ座の怪人』と同時期だった。両シリーズは、神出鬼没の犯罪の天才を主役にすえたこと、視覚的な喚起力が強く、映画やドラマ、マンガ、イラストへと繰り返しアレンジされてきたことが共通する。また、ファントマ（Fantômas）は、『オペラ座の怪人 Le Fantôme de l'Opéra』の主人公の呼び名でもある fantôme（幽霊、幻影）のもじりであり、イメージが近しい。

これらの作家のなかでガストン・ルルーは、日本では『オペラ座の怪人』と『黄色い部屋の謎』（一九〇七年）の作者として知られる。後者は心理的トリックを用いた密室事件ものとして、江戸川乱歩も高く評価した。不可解な謎を合理的に推理して意外な真相を解き明かす本格ミステリーの古典として、名高い作品だ。出入りが不可能なはずの密室で、スタンガースン家の令嬢マチルドが血塗れとなり倒れていた。その謎を若き新聞記者ルールタビーユが探偵役となり解明するのだが、同作には『黒衣婦人の香り』（一九〇九年）という続編もあった。こちらでは南仏海岸の古城「ヘラクレス砦」を舞台にしてまたマチルドが脅かされ、ルールタビーユが再び活躍する。ただし、『黒衣婦人の香り』は『黄色い部屋の謎』よりも謎解きの比重が小さく、サスペンスに傾いていた。『黄色い部屋の謎』ではマチルドにロベール・ダルザックという婚約者がおり、『黒衣婦人の香り』で彼は、彼女の夫になっている。だが、マチルドに執着し二人の間に割って入ろうとするずる賢いストーカーがいるのだ。密室、古城といった閉鎖的な空間が、そのような悪の強い力に覆われようとする。また、両作ではルールタビーユの「父」が重要なモチーフになる。

これらの要素は、ルルーが二作の直後に発表した『オペラ座の怪人』とも通底している。同作のクリスティーヌ・ダーエはオペラ座の新人歌手であり、ラウル子爵との愛が芽生えている。その一方で彼女は、「音楽の天使」と呼ばれる姿を見せない存在にレッスンを受け、歌の才能を磨いていた。クリスティーヌは、ヴァイオリン奏者だった亡き父が「音楽の天使」を送ってくれたと思っていたのだ。ところが「音楽の天使」は、以前からオペラ座を脅迫し様々な事件を起こしてきたファントムであり、仮面に隠された素顔は醜悪で恐ろしいものだった。彼は地下室に連れ去ったクリスティーヌに自らとの結婚を迫る。限定された空間で起きる怪異。三角関係。「父」の影。一連の要素が、『黄色い部屋の謎』、『黒衣婦人の香り』と地続きなのは明らかだろう。

『オペラ座の怪人』は、暗躍する怪人をめぐるホラーであり、後半では監禁、拷問、爆破の危険、脱出といった見せ場が連続する。また、同作ではミフロワ警視が事件の捜査を担当するほか、ファントムをパリまで追い続けてきたあるペルシア人がラウルとともに地下探索にむかい、危険な目に遭う。ファントムの正体を明かすペルシア人は、探偵的な役割を果たす。その意味ではファントムという犯人を追い、彼の真実に迫るミステリー小説だ。同時に、ラウルとペルシア人を拷問室に閉じこめたファントムが、クリスティーヌに結婚の承諾を要求する同作の終盤では、恋愛小説としての側面を強める。結婚に応じなければ、地下に仕掛けた爆薬でラウルだけでなく、オペラ座をまるごと吹き飛ばすと脅迫する相手に対し、クリスティーヌは情を示す。彼女のラウルへの愛の深さに自身の敗北を悟ったファントムは、恋人たちを解放し、姿を消す。クリスティーヌの情をこめたキスにファントムが情で応じ、三角関係に終止符が打たれる。

劇場で人を殺し、客席にシャンデリアを落とし、恋人のラウルを捕らえて拷問した凶悪な犯罪者になぜクリスティーヌは、優しい気持ちを見せるのか。彼女は、姿を現さないファントムのことをヴァイオリン奏者だった亡き父が送ってくれた音楽の天使だと思いこみ、楽屋で密かにレッスンを受けてきた。父の墓参りにいけば、どこからか調べが聴こえ、音楽の天使らしき気配もした。彼のおかげで舞台の主役を務められるほどの力量を身に着けたのである。彼女にすればファントムは父性的な存在であり、音楽の師でもある。奇妙な師弟のレッスン風景を覗いたラウルの目の前で、クリスティーヌは鏡の向こうに消えた。そこがファントムのアジトへ通じていたわけだが、鏡というアイテムは、ファントムがクリスティーヌの分身的存在であり、彼女の内面にも棲んでいることを示唆する。クリスティーヌは、姿が醜いゆえに誰からも愛されず孤独だったファントムの立場を、やがて理解するのだ。残虐性だけでなく純真さを持つ相手に対し、愛情らしきものを含んだ哀れみの情を抱く。そのようにいくつも積み重なった想いが、彼を許すキスをさせる。

この小説はオペラ座を舞台とし、歌手をヒロインとするだけに音楽であふれている。舞台の最中にクリスティーヌが誘拐された際、上演していたのは、悪魔との契約を扱った『ファウスト』だった。これは彼女とファントムの師弟関係を悪魔との契約になぞらえたのだろう。彼女が父の墓参りをした時には、聖書における死者の蘇りを題材にした「ラザロの復活」が聴こえ、楽屋でのレッスンでは相容れない一族同士の男女が恋に落ちる『ロミオとジュリエット』の「婚礼の夜」が歌われた。ファントムが「主よ、憐れみたまえ」と歌う場面もある。いずれも物語の内容と重なるところがある選曲だ。

さらに作中には実在の曲ばかりでなく、ファントムが作曲したという「勝ち誇ったドン・ジョヴァンニ」も登場する。ドン・ジョヴァンニ（ドン・ジュアン／ドン・ファン）とは女たらしの代名詞であり、モーツァルトの有名なオペラ『ドン・ジョヴァンニ』では、自分の欲望のため犯罪を繰り返した彼が報いを受け、最後は地獄へ落とされる。そんなキャラクターの勝ち誇る姿を、醜さのために恋愛と縁遠い人生を送ってきたファントムが曲にしようというのだ。ねじれた感情がうかがえる。二十年近く作り続けてきたというその曲をファントム自身が歌うのを聴いたクリスティーヌは、次のように思う。

> 彼の『勝ち誇ったドン・ジョヴァンニ』は（だって彼は恐ろしいひとときを忘れるため、この作品に打ち込んでいるはずだもの）、哀れなエリックがおのれの呪われた境遇を嘆く長い悲痛なすすり泣きとしか思えなかった。
>
> （『オペラ座の怪人』）

生まれた時から醜さのせいで母にもキスしてもらえなかったファントムことエリックは、欠落感を埋めようとしたのか、放浪の前半生で建築術などの技術や、音楽という芸術を会得する。身に着けた知恵で犯罪に走り、オペラ座を支配下に置こうとした。自身の勝利を曲の創作で証明しようとした。蓄えた技芸の力を背景に他者から愛を奪おうとしたのである。どれも彼の承認欲求の現れだ。だが、クリスティーヌは愛情らしきものを覗かせたものの、すぐにそれは消え去った。それでも彼は、ささやかな喜びを感じ、受け入れたのである。

冥界下りと魔性の歌声

『オペラ座の怪人』は音楽を重要な主題とし、歌唱や演奏の場面が多いだけでなく、音楽に関連した物、比喩も散見される。象徴的なのは、クリスティーヌとラウルの逢瀬をファントムが盗み見る屋上の場面だ。場所はオペラ座の中央に配置された竪琴を持つアポロン像の近くとされる。音楽を司る神だ。実在のオペラ座には、ほかにも音楽に関連した像がちりばめられている。

小説を再読すると、屋上のアポロン像への言及があるだけでなく、地下アジトの場面でクリスティーヌが、ファントムの朗々とした歌声にうっとりした自分を「オルフェウスが奏でる音楽に魅了された羊の群れに加わったかのように」(同前)と思う。ギリシア神話のオルフェウスは竪琴の名手であり、その楽器はアポロンに授けられたとされる。冥界に下り死んだ妻を連れ帰ろうとしたが、ふり返ってはならぬという禁を破ったために果たせなかったというオルフェウスのエピソードは有名だ。冥界下りのイメージは、ファントムの棲み家へ行ったクリスティーヌが、骸骨のごとき彼の素顔を見る構図と近しい。ただ、音楽の名手であるファントムは、オルフェウスのように生のほうに連れ出そうとするのでなく、逆に愛する人を死の側に引きこもうとするのだ。

しかし、クリスティーヌは、受け身なばかりの存在ではない。彼女は歌声によってラウルを、そしてファントムを虜にする。ファントムはクリスティーヌを脅かすが、やがて、彼女を愛したばかりに彼は自滅するはめになる。相手が自覚しない魔性を有していたといえるだろう。興味深いのは、クリスティーヌがまだ少女だった頃、その歌声に魅せられた少年時代のラウルが、飛ばされた彼女のスカーフを海に入って持ち帰ったことだ。直後に少女は少年にキスしており、恋の発端とも感じられる出来事になった。一方、クリスティーヌは、終盤で誘拐される以前にも地下アジトを訪れ、ファントムの孤独を理解するようになっていた。距離の接近は、彼がクリスティーヌへの執着を強めたばかりに生殺与奪権を相手にゆだね、自滅することにつながる。この過程でも水が登場するのだ。ファントムの棲み家へは地底湖を通って行く。クリスティーヌはファントムから音楽を教えられただけでなく、地底湖を小舟で渡り、いったん冥界と往還することである種の魔性の力を得たのではないか。そのように見立てられる。クリスティーヌにとってファントムは「音楽の天使」だが、ファントムにとってもクリスティーヌは「音楽の天使」だ。二人は、いずれも相手にとっての魔性の歌声を持っている。また、ファントムがラウルとペルシア人を拷問室に閉じこめた時には、熱責めについで水責めを行った。かつて海に入ることでクリスティーヌからキスをもらったラウルは、その代償として水に殺されかけるかのような展開だ。

女の歌声、水、死というイメージの結びつきは、歌声で船乗りを幻惑し難破させるギリシア神話における海の怪物セイレーンを連想させる。後世には人魚の姿とされたがもともとは翼のある半人半鳥とされていた。ラウルを危険にさらし、ファントムを破滅させるクリスティーヌは、発展途上で無自覚ではあるが、セイレーン的な属性を秘めている。その意味では、ホラー調のヴィジュアル化では、屋上の翼のある芸術神までセイレーンのごとく見えてくる気がする（水の魔性については本書第四章で論じる）。

小説の結末では、ファントムの骸骨が掘り出された後日談が記される。遺骨には、実現しなかった婚礼のために彼が用意した指輪がはめられていた。小説の語り手は、埋葬の際、クリスティーヌがそうしたのだろうという。

骸骨は小さな泉のすぐ近くにあった。音楽の天使が気を失ったクリスティーヌ・ダーエを初めてその震える腕に抱き、オペラ座の奈落へと連れ去った場所だ。（同前）

哀れな怪人に死後のなぐさめを与えた点は、男が女を抱きしめた形の二体の白骨が発見されるユゴー『ノートルダム・ド・パリ』のヴァリエーションのごとき結末といえる。ただ、『オペラ座の怪人』の原作小説は、興味深いモチーフを多く含んでいるものの、今読むと冗漫と感じられるところがある点まで『ノートルダム・ド・パリ』と共通する。ルルーのもったいぶった表現の連続は、古風な怪奇譚、幻想譚にみあっている半面、現代の読者にとってはまわりくどくもある。

一方、『オペラ座の怪人』は、小説から映画へ、ミュージカルへと異なる表現媒体で何度も脚色されることで「原作」は古典としての地位を維持してきた。一連の脚色をふり返った場合、初期の成功作がルパート・ジュリアン監督、ロン・チェイニー主演のサイレント映画『オペラの怪人』だったことは、この物語が以後にいかに受容されたかを象徴している。サイレントであるから原作の悠長な文体は一挙に捨てられ、簡単な説明を時おり字幕で挿入する以外、映画に言葉は登場しない。しかし、小説のなかから視覚的な想像力をかき立てる要素をピックアップしてアレンジし、具体的な映像にしてみせた。事件の舞台となる劇場、演じられるオペラ、秘密の通路へ続く鏡、地下のアジトでオルガンを弾くファントム、大階段での仮面仮装舞踏会、シャンデリアの落下、地底湖、クリスティーヌとラウルの屋上での逢瀬を彫像の背後から覗いて嫉妬するファントム（原作のアポロン像とは異なり、背に翼のある女性像。オペラ座屋上の左右にある芸術神の二像、「調和」と「詩」のどちらかと思われる)。これらは『オペラ座の怪人』に関するヴィジュアルの定番となり、ロイド・ウェバー版ミュージカルに継承されているし、他のヴァージョンでも受け継ぐかアレンジするかして、とりこんでいた。当たり前の話だが、サイレント映画では後から付加しなければ作品自体に音はない。とはいえ、この映画は、歌唱や演奏のシーンを通して音楽の気配を伝えることに健闘していたと思う。

ルパート・ジュリアン監督版の場合、ファントム役のロン・チェイニーが原作の形容通り髑髏風のメイクだったことで知られる。また、兄弟を殺された舞台スタッフの男を中心に群衆がファントムを追いつめ、最後は彼をセーヌ川に投げこむ結末となっている。ファントムの凶悪さに怒った人々が暴徒化し、私刑を行うのだ。襲いかかられる直前、ファントムは胸元から出した爆薬を投げつけるかのような仕草をしてとり囲んだ群衆をひるませた後、なにも持っていない手のひらを開いてみせる。その時、ファントムは笑うが、対抗手段を失った彼の絶望が伝わる場面だ。武器を持っていないと知った瞬間、人々はいっせいに襲いかかり、棒で滅多打ちする。結末のこの脚色は、『ノートルダム・ド・パリ』やディズニー版『美女と野獣』にみられた連帯した群衆の暴力性と怪人の孤独の対比に通じる。とはいえ、指輪をはめた遺骨という原作の結末の叙情はない。クリスティーヌが相手に抱く感情の複雑さを表現できないサイレント映画では、ファントムのキャラクターが凶悪な犯罪者へと単純化されたのは否めない。後の映像化では、彼をどのようなキャラクターに設定するかで作品のトーンが大きく変化する。

複合的キャラクターの解体・組みあわせ

以下で『オペラ座の怪人』の映画化作品を考察するが、エリック（ファントム）、クリスティーヌ、ラウルといった原作の名前が変更されたケースも多いため、比較の議論がしやすいようにそれぞれ相当する役は基本的に、ファントム、ヒロイン、青年という風に表記する。

アーサー・ルービン監督による一九四三年の映画化では、ファントムは自作曲を別人に盗作されたとされ、ヒロインの実の父親だったと設定された。彼は、盗まれた作品をとり戻そうとした時のトラブルで酸を顔に浴びせられ、焼けるような痛みを静めようと川に飛びこむ。この場面で水との親和性を観客に印象づけたファントムは、地底湖という水のそばにアジトを設けることになる。彼は父だと名乗らぬまま、娘を歌姫にしたい思いと自分は音楽家だという承認欲求からオペラ座で暗躍する。この作品は、ショパンやチャイコフスキーの曲を挿入したうえでファントム作とする曲を用意し、音楽映画としての体裁を整えている。また、刑事とバリトン歌手という二人の男がヒロインをめぐり恋の鞘当てをして、ラヴ・コメディ的な要素もある。だが、ヒロインに対するファントムの過度な執着を描くことは、近親相姦的であるとして制作側が忌避した。このため、ヒロインが子どもの頃に聴いた子守唄のメロディをファントムの曲に見出すといった場面はあるものの、父娘関係については詳しく語られていない。

生まれながらの醜さではなく、盗作トラブルがきっかけでそうなったことや、娘を思う父親という設定は、ファントムに同情すべき点があると強調し、人間味を与える作用がある。だが、『オペラ座の怪人』の物語のホラー的側面は、オペラ座とヒロインを脅かすファントムの無慈悲さにあったのであり、彼の他に狡猾な盗作者が登場すれば悪が焦点化されず分散してしまう。また、亡き父親の面影を重ねた相手が凶悪なストーカーだったというヒロインの驚きと恐怖も失われる。醜かったため両親にも疎まれた彼が、ヒロインのひと時の愛情を得てなぐさめられる。つまり、ヒロインにとって父とも思えた相手に対し、むしろ彼女が母的な受容をみせる逆転劇の妙味が、一九四三年版の父娘設定では起こりえない。同作のアレンジは、原作小説の重点がどこにあったかを逆にあぶり出したといえる。

ファントムを盗作被害者とするアレンジは、ほかにもいくつかある。テレンス・フィッシャー監督の一九六二年版映画でも、ファントムは盗作トラブルで火事を起こした際、顔を損傷したとされる。川に飛びこむのも同様だ。ただ、同作ではオペラ座に棲む粗暴な小男が彼を助け、後には手下のように働く設定だ。残虐な行為を主に行うのは、『ノートルダム・ド・パリ』のカジモドを連想させるその知能が高くない小男だ。ファントムについては、偏執的な芸術家像が強調される。彼は盗作者と対面して怒りを示しても決定的な復讐はしない。有名なシャンデリア落下は小男が意図せず原因を作ったとされ、ファントムは自作曲を歌ってくれたヒロインをその危機から助けるため、とっさに命を投げ打つ。彼がシャンデリアを落とす側でなく落とされる側へと原作とは立場が反転している点が面白い。とはいえ、小男と役割を分割したがゆえにファントムのキャラクターが弱まったのは否めない。残忍さと純真さをあわせ持つのが、本来のファントムなのである。

同映画の場合、ヒロインをめぐる人間模様として、恋人の青年、キャスティングの権限を背景に彼女にいいよる盗作者、その声に惚れこみ歌姫に育てようとするファントムと配置されている。それぞれ、恋愛、肉欲、師弟愛である。だが、原作のファントムはこの三種類の感情すべてをあわせもつうえ、先に触れた通り、彼とヒロインの間にはもつれた形で擬似親子的な情も生じていたのだ。一方、本作のヒロインに対するファントムの感情はそこまで複合的に描かれていない。このため、なぜ彼がヒロインの身代わりとなって死ぬほどの強い衝動に襲われるのか、いささか説得力が薄い。ただ、同作では、ファントムの盗まれたオペラの上演シーンがクライマックスとなるが、その演目は「ジャンヌ・ダルク」とされる。女性でありながら戦争に身を投じたタイトルの役を当然、ヒロインが演じる。ジャンヌ・ダルクが、神の啓示を受けて行動した点はファントムの導きで歌の力を得たヒロインの立場と重なるし、前者が異端審問の末に火刑に処される結末は、火災によって顔を損傷したファントムの不幸と響きあう。ファントムとヒロインの関係性を象徴的に表現したという意味で、劇中劇の題材にジャンヌ・ダルクを選んだことはプラスに働いたと思う。ドラキュラやフランケンシュタインのシリーズなど、ホラー映画で知られるハマー・フィルム・プロダクションの作品だが、ホラー色に終始するだけではない内容になっている。

『オペラ座の怪人』のアダプテーションに関しては、原作のパリをヴィクトリア朝ロンドンに移し替える（一九六二年版映画）など、改変の度合いが大きい作品もある。ブライアン・デ・パルマ監督『ファントム・オブ・パラダイス』（一九七四年）の場合、現代のアメリカでオペラではなくロックの世界を舞台に選んでいた。有名ロック・プロデューサー、スワンに自作「ファウスト組曲」を盗まれた青年は奪い返そうと試みるが、工場のレコード・プレス機に挟まれ顔と喉を傷つけられる。仮面をつけた彼＝ファントムは復讐心に燃え、スワンが設けたホール「ザ・パラダイス」で怪事を起こす。だが、スワンに丸めこまれ契約したファントムは、彼の下で音楽を提供するようになる。ファントムが才能に期待し、想いを寄せるヒロインの新人歌手は、スワンの愛人になってしまう。

オーディションに集まった大勢の女たちがグルーピーと化してスワンをとり囲む。一度は主役に抜擢されたヒロインにとってかわる役回りを、派手な衣装とメイクでグラム・ロック風のゲイ的な男性ヴォーカリストが務める（原作のプリマドンナ、カルロッタにあたるポジション）。その主役交代を命じたスワンがヒロインと一緒にベッドにいる姿を、ファントムが天窓から覗いて嫉妬する。性的自由放縦を示したそれらのシーンは、その輪のなかにはいないファントムの純朴さとスワンの悪党ぶりを印象づけるように働く。同作の終盤では、スワンが悪魔との契約で若さを維持していたことが判明する。

原作小説にも悪魔との契約の物語『ファウスト』は、オペラの演目で登場した。『ファントム・オブ・パラダイス』の場合、ファントム作「ファウスト組曲」やスワンと悪魔の契約など、原作以上にゲーテ『ファウスト』のモチーフを重用し物語の大枠としている。しかも、スワン本人と彼の映像、写真に美と醜（老い）の関係を持たせ、『ドリアン・グレイの肖像』的なモチーフもとりこんだ。オスカー・ワイルドの同小説は、若々しい本人が放蕩を重ねるにつれ、彼の肖像画の顔貌は老い崩れていき、ついにそれらの美醜が入れ替わる結末だった。『ファントム・オブ・パラダイス』では、ファントムの醜さは事故で身体を傷つけられた物理的なものだが、スワンには悪魔と契約して美をとり繕う精神の醜さがあったという構図だ。全体的にポップな仕上がりの狂騒的な映画だが、美醜のテーマに関しては単純ではなく、ひねりが加えられていた。

より大胆なアレンジを施した代表例としては、一九三七年の馬徐維邦監督による中国映画『深夜の歌声（夜半歌聲）』があげられる。舞台を中国に移したうえ、謎の怪人は女性にではなく、巡回する劇団の若手男優に教えを与える。怪人は過去には名優であり、革命運動とのかかわりのなかで酸を顔にかけられたのだった。彼がいなくなったことで精神を病んだ恋人をなぐさめるため、姿を現さないまま歌う怪人になったのだ。ヒロインが怪人の歌声に魅せられる設定は残されたが、意味は原作と異なるし、彼の愛と教えは同一人物に対してではなく、それぞれ別人にふりわけられる。ラヴ・ストーリーとしてそのように改変された同作は、一九九五年にもロニー・ユー監督で『夜半歌聲／逢いたくて、逢えなくて』としてリメイクされた。

以上のように『オペラ座の怪人』のアダプテーションでは、彼の醜さが生まれつきではなく、アクシデントで顔を損傷したことに起因するとするアレンジが多い。それは、『バットマン』シリーズの悪役ジョーカーが、追いつめられた強盗が化学薬品のタンクに飛びこみ、白い肌、緑の髪、赤い唇の両端がつりあがった笑顔、緑の髪に変貌したという一九五一年発表のエピソードと響きあうようにも感じる（その笑顔に関しユゴー『笑う男』の映画版の影響が指摘される点は前章で触れた）。暗躍する醜い怪人へと変身した過去を提示することで、再度の変身、改心の可能性をどこかに残す。それは、悪役（ヴィラン）であっても愛される余地があるとほのめかすことでもある。

ここまで言及した作例は、いずれもファントムに同情すべき要素を加算し、共感を誘おうとするものだった。逆に彼の非人間的な酷薄さを強調し、殺人シーンの視覚的衝撃を前面に出した映画もあった。『エルム街の悪夢』シリーズの殺人鬼フレディー・クルーガー役で人気を得たロバート・イングランド主演でドワイト・H・リトル監督の一九八九年版『オペラ座の怪人』、あるいは『サスペリア』のヒットで知られるダリオ・アルジェント監督の一九九八年版は、いずれもスプラッター系、スラッシャー系のホラーで実績のある人らしい仕上がりだった。前者では現代にいるヒロインが、ファントムの「勝ち誇ったドン・ジョヴァンニ」の楽譜を発見し、照明器具の落下事故をきっかけに過去にタイムスリップする。後者では、籠に入れられ川に捨てられた赤ん坊がネズミに育てられ無慈悲な性格に育つ設定である。どちらでもヒロインに対するファントムの執着は描かれるが、愛より恐怖に力点を置いているのは明らかだ。

みてきた通り、『オペラ座の怪人』に関しては、複合的なキャラクターだった原作のファントムの諸要素を解体し、ほかの登場人物に分担させたり、他のフィクションや時代や風俗のモチーフをとりいれ、物語の構造を組みかえることで様々なアダプテーションが作られてきた。そして、数多いアレンジのなかでも、ミュージカルのなかから原作以上のスタンダードと化す作品が現れる。

テクネーによる武装と二面性

『オペラ座の怪人』は旧くから舞台化されてきたが、今でも繰り返し上演されるミュージカルが複数ある。そのなかで比較的早く製作されたのが、一九七六年初演のケン・ヒル脚色によるものだ。ケン・ヒル版はおおむね原作に忠実な展開で怪奇味とコミカルさが目立つ。特徴的なのはグノー「ファウスト」をはじめ、オッフェンバック、ヴェルディ、ビゼー、モーツァルトなど実際のオペラの楽曲を使い、ストーリーにあわせ創作した詞をのせたことだ。この選択でオペラ座という舞台設定が、それらしく感じられるものになった。

ケン・ヒル版以上にヒットして定番化したのは、一九八六年初演のアンドリュー・ロイド・ウェバー作曲のヴァージョンである。ロイド・ウェバー版の原作からの改変で大きかったのは、ミフロワ警視、ペルシア人といった捜査側のキャラクターの削除だろう。ケン・ヒル版では、怪人に誘拐されたクリスティーヌを救おうと、恋人のラウルとペルシア人が地下を探索する原作の設定を踏襲していた。また、第一部後半までファントムがなかなか全身をはっきり現わさない。劇場の新支配人は、ファントムなど存在せず、主役の欲しいクリスティーヌが陰謀に加わっているのだろうなどと迷推理をみせたりする。それに対し、ロイド・ウェバー版では、第一部中盤でもうファントムとクリスティーヌが二人きりになる場面がある。探索に関してはラウルが一人でむかい、地下にいるファントム、クリスティーヌと対峙することで三角関係の構図を原作以上に強調する。恋人以外の探偵役を残したケン・ヒル版は推理小説的で説明的なセリフが多かったが、ロイド・ウェバー版ではバレエ教師のマダム・ジリーが過去の因縁を知っており、ファントムの来歴やオペラ座との関係をラウルに伝える役をになう。説明的な部分を簡略化し、ラヴ・ストーリーに傾斜してロマンティックな雰囲気を濃くしたのだ。

また、「エンジェル・オブ・ミュージック」、「ミュージック・オブ・ザ・ナイト」、「オール・アイ・アスク・オブ・ユー」などクリスティーヌ、ラウル、ファントムが第一幕で歌ったオリジナル曲の数々が、第二幕で変奏されつつ再登場し、それぞれのメロディが時にからみあう。互いの交流の回想、迷う思い、心の変化という三角関係のせめぎあいが、三人のふるまいとともに音楽でも表現される。前半ではファントムとクリスティーヌのデュエットで歌われた「オペラ座の怪人」が、終盤では凶行に怒った群衆がファントムを狩ろうと地下へ進みながら唱和する形で再び登場する。歌われかたの違いは、もはや二人だけの問題では収まらなくなっていることを示す。同じ曲の変奏によって状況や感情の変化を表現している。ロイド・ウェバー作曲、チャールズ・ハート作詞の音楽の構成には、既成曲を集めたケン・ヒル版にはないドラマチックさがある。

ロイド・ウェバー版は、地下への移動、地底湖を小舟で渡るファントムとクリスティーヌ、シャンデリアの落下など、舞台装置の仕掛けによるスペクタクルも魅力だ。それは、見世物として面白いだけでなく、ファントムというキャラクターの性質と結びついている。ファントムの棲む地下へクリスティーヌが連れこまれることには冥界下りのイメージがあると先に書いた。基本的に彼の力は、下方向に発揮される。シャンデリアなどモノを落下させ、人を吊り下げ、殺す。クリスティーヌの父の墓でラウルと接触する時も、彼はステージ上方から下方へ火花を飛ばす。冥界に引きずりこもうとするかのように力を下にむける。逆に力が上方向に働く状況では彼の無力や迷いが露わになる。クリスティーヌとラウルがオペラ座の屋上へのぼり愛の言葉を交わす時、ファントムは物陰から覗き嫉妬するだけだ。また、地下にきたラウルの首に縄をかけ吊り上げたものの、クリスティーヌの反応をうかがい続け、ついに吊り下げるには至らない。ロイド・ウェバー版は、そうした上下の垂直方向の力をたびたび見せることで物語のリズムを作っていく。

ファントムがふるう下方向の力は、オペラ座という建築物の構造や装置を熟知し、いわば一体化していることで可能になっている。オルガンを演奏し、火花を飛ばす彼は、音楽や奇術など多様な技芸を身に着けており、テクネー（技術知）の人でもある。先行する映画化では、ファントムのアーティストとしての承認欲求やエゴを表現する脚色として、自作曲を盗まれた被害者という立場がしばしば使われた。それに対し、ロイド・ウェバー版は、ファントムの他に盗作者を登場させて悪の存在を分散化させることはなく、彼がクリスティーヌを主役にして自作曲を上演するよう劇場側を脅迫するというアレンジを行った。ロイド・ウェバーは、ファントム作とされる「ドン・ファンの勝利」を無調の現代音楽風のスタイルで書いた。感情が欠落した機械的なメロディのように聴こえるそれは、自分を産んだ母親にすら愛されたことがなく、人の心を理解できないファントムという存在を反映している。その欠落は、残忍さの源であると同時に無垢さや孤独の源でもある。ロイド・ウェバー版の音楽は、オペラ風の劇中劇以外はミュージカル調で作られたが、基本的にクラシック風の楽器編成からはずれない。だが、ファントムのテーマである「オペラ座の怪人」だけは、プログラミングされたドラムとシンセサイザーが目立つ、テクノ的でメカニカルな印象の曲だ。ファントムがどのようなキャラクターかを表現したアレンジといえる。

他人と上手にコミュニケーションがとれず、外部に対し時に暴力的なふるまいに出る。テクネーによって自己完結的な領域を作り、ある種の機械的な支配を成り立たせる。ファントムのそんな独身者としてのありかたは、ミシェル・カルージュが文芸評論『独身者の機械』（一九五四年）で指摘した「独身者の機械」に近い。カルージュは、マルセル・デュシャンの美術作品『彼女の独身者たちによって裸にされた花嫁、さえも』、フランツ・カフカ「流刑地にて」、アルフレッド・ジャリ『超男性』、ヴィリエ・ド・リラダン『未来のイヴ』、エドガー・アラン・ポー「陥穽と振子」などの小説諸作に共通する自己完結的なシステムへの志向を見出し、それを「独身者の機械」と名づけた。オペラ座と一体化し一種のサイボーグとなるファントムは、自己完結的なシステムと化しているわけで「独身者の機械」と呼ぶにふさわしい。

醜いゆえにコミュニケーション不全に陥っている彼は、その欠落を乗り越えるため仮面で素顔を覆い、テクネーを用いる。そうして相互理解ではなく、一方的で残忍な支配へ走る。だが、クリスティーヌのひと時の愛情で仮面やテクネーを武装解除された彼は、無垢で孤独で弱い。ロイド・ウェバー版では愛に破れたファントムが去った後、舞台には彼の仮面だけが残され幕となる。舞台装置のスペクタクルと仮面の象徴的なあつかいにより、強い彼と弱い彼という二面性が印象づけられるのもロイド・ウェバー版のわかりやすさだ。ロック版『オペラ座の怪人』である『ファントム・オブ・パラダイス』では、肖像画と本人で善と悪の分身関係になるワイルド『ドリアン・グレイの肖像』のモチーフをとりこんでいた。同作の場合、悪魔との契約が分身を可能にしたのに対し、ロイド・ウェバー版における二面性は、テクネーの介在で成立する。

テクネーによる二面性という意味では、薬の服用で性格と容貌が激変するロバート・ルイス・スティーヴンソン『ジキル博士とハイド氏』(一八八六年)、研究を重ね死体から怪物にしか見えない生命を造りだしてしまったメアリ・シェリー『フランケンシュタイン』(一八一八年)の物語と発想が重なる。ジキルとハイドは二重人格の代名詞になっている。また、シェリーの原作では怪物を創造した人物の名がフランケンシュタインであったのに、後のアダプテーションでは怪物がフランケンシュタインと呼ばれるようになった。これはフランケンシュタインと怪物が、分身関係であるゆえに起こった錯誤だろう。『ジキル博士とハイド氏』も『フランケンシュタイン』も、テクネーで生み出したもう一人の自分によって自滅の道をたどる。『オペラ座の怪人』も、大枠の構図は共通する。ロイド・ウェバー版は、舞台装置のテクノロジーでスペクタクルをもたらし、物語においてサイボーグ化したファントムのテクネーの要素を活かしたのだ。

そこでは、登場人物たちのなかからクリスティーヌ、ファントム、ラウルの三角関係を焦点化するとともに、テクネーで武装したファントムの二面性が舞台装置と仮面によって効果的に演出された。原作小説にあった要素を整理する一方、重点とみた要素を拡大し広く受け入れられるミュージカルに仕立てたのである。その舞台自体が娯楽作品としてよくできていたのは確かだが、ロイド・ウェバー版が『オペラ座の怪人』の新たなスタンダードとなったことには、作品外の要因も無視できない。『オペラ座の怪人』初演でクリスティーヌを演じたサラ・ブライトマンが、ロイド・ウェバーの当時の妻だったことは知られている。自分の作品でお気に入りの新進女優を主演させ歌姫に育てるという、ファントムがクリスティーヌに抱いた欲望が、ロイド・ウェバーとブライトマンの関係に重なってみえる。そのことが、舞台への興味をより高めたのは間違いない。オペラ座の舞台裏を描いた作品の舞台裏という、バックステージもののメタ構造が面白がられたわけだ。

ロイド・ウェバーとブライトマンは離婚したが、大ヒットした『オペラ座の怪人』が各国で長年上演され続け、なにかの記念のたびに彼女は召喚され、作者の前で同舞台の曲を歌っている。なかでも象徴的だったのは、作品誕生から二十五周年を記念したロンドン公演のカーテンコールでブライトマンが登場した場面だ。初代クリスティーヌだった彼女とともに、ファントムを演じた四名の男優が、本来はデュエットである「オペラ座の怪人」を歌う。同曲にはファントムが「歌え」とクリスティーヌに命じるセリフが入るが、四人が代わる代わるこの言葉をいう。「歌え」とは、もともとはクリスティーヌを教育し支配しようとするファントムの欲望から発せられる言葉だった。だが、二十五年がたってブライトマンは新進女優ではないし、むしろ歌姫として地位を築いた彼女は『オペラ座の怪人』でいえば劇場側への発言権が強いプリマドンナのカルロッタに近い。集められた四人のファントム役は支配するのではなく、むしろ女王の磁場によって「歌え」といわされているようでもあり、その光景を作者であるロイド・ウェバーが観ていたのだ。支配しようとした側が、逆に相手にふり回される。ファントムとクリスティーヌの間で起きた逆転劇が、ロイド・ウェバーとブライトマンの間でも起きたかのごとくみえるし、彼ら自身がそれを楽しんでいるようなのだ。そうした経緯も、『オペラ座の怪人』の数多いアダプテーションのなかでロイド・ウェバー版が特別なものとなった一因だろう。

心理解釈で導き出された前日譚と後日譚

ロイド・ウェバー版が成功した後も、『オペラ座の怪人』は様々な形にアレンジされている。すでに触れた通り、ダリオ・アルジェント監督版やロバート・イングランド主演版など、ホラーの有力者によるその種の映画化が行われた。一方、ケン・ヒル版、ロイド・ウェバー版とともにたびたび再演されるミュージカルが、アーサー・コピット脚本、モーリー・イェストン作詞・作曲で一九九一年初演の『ファントム』だ。コピット&イェストン版も、ファントム、クリスティーヌ、若い貴族の三角関係のラヴ・ストーリーである点は、従来のヴァージョンと変わらない。ただ、ファントムことエリックの出生の秘密に重点を置いており、ロイド・ウェバー版の初演以前からその企画案はあったというが、ロイド・ウェバー版をひっくり返したような着想がところどころにみられるのが興味深い。

『ファントム』では、クリスティーヌが劇団員ではなく、まだ劇場にやってきたばかりの素人とされる。『オペラ座の怪人』でよく知られた仮面舞踏会がないかわりにビストロでコンテストが催されるシーンがあるなど、ヒロインが素人であることと相まって他ヴァージョンにはない庶民性が感じられる。また、原作もロイド・ウェバー版もファントムがクリスティーヌを主演にするため、歌姫カルロッタの声をカエルの声にする事件を起こすが、『ファントム』では新支配人の妻であるカルロッタが主導的な悪役となる。彼女がクリスティーヌに薬を飲ませ喉を潰すのであり、よく知られたヴァージョンを反転させたのだ。一連のアレンジでコピット&イェストン版の核となるのは、親子関係のテーマだ。原作やロイド・ウェバー版では、クリスティーヌが亡き父のイメージをファントムに重ねるのに対し、コピット&イェストン版ではファントムが亡き母のイメージをクリスティーヌに見出す。母に愛されなかったファントムがクリスティーヌにキスされ感動するという構図は、ロイド・ウェバー版も原作から継承していたが、『ファントム』はそれをいっそう明確に打ち出す。また、コピット&イェストン版のファントムは怪物的な悪漢ではなくひきこもり気味の青年といった造形であり、見初めたクリスティーヌとの会話もぎこちない。一番の改変は、劇場の前支配人がファントムの実父であることを隠しながら彼と交流を持っていたという展開だろう。『オペラ座の怪人』原作に内在した親子のテーマに対し、ファントムをクリスティーヌの実父とした映画化もあったわけだが、コピット&イェストン版ではファントムの実父を登場させる。これに伴い、三角関係の緊張感に物語が集約されるロイド・ウェバー版とは異なり、『ファントム』後半は父子関係と恋愛の三角関係で方向性が分裂した感もなくはない。

また、親子関係にスポットを当ててファントムのキャラクターを掘り下げた小説も書かれている。スーザン・ケイ『ファントム』(一九九〇年)は、後にファントムと呼ばれるエリックの誕生からパリに訪れるまでの前日譚を書いてから、後半でルルーの原作の隙間を埋め、クリスティーヌとラウルのその後に言及する。エリックの父は、建築家で音楽好きであり、母も大成はしなかったが、オペラ劇場に出られるようにと教育された過去があったとされる。エリックの人生に関し、父母からの影響を印象づけるのだ。エリックを妊娠中の母は、我が子がおなかを蹴ったのに対し、「誰もあなたの意見なんか聞いちゃいないんだから、この獣!」といってしまう。母の友人は、まだ生まれていない子のことをそんな風にいうのは縁起が悪いと不安がったが、それが的中して醜い怪人が誕生したわけであり、出生の因縁めいたものが用意されている。未亡人になった母は、醜い息子を愛せない。仮面をかぶせられたエリックは、愛するママにキスしてもらえない。彼は、悪魔の顔と天使の声を持つ存在に育つ。ファントム（怪人）とも「音楽の天使」とも呼ばれる二面性が子ども時代に萌芽する。

腹話術を覚えたエリックが、陶器の少年人形にハミングで歌声を与えると、母は人形の方を可愛がった。彼女は息子への複雑な感情で狂っていくが、エリックの方が精神病院に入れられそうになり、彼は人形を壊し家出する。エリックは、神父から悪魔祓いされそうにもなった。彼を蔑む者たちに愛犬を殺された際、人間ではない犬に死後の世界は与えられないと知ってからは神まで憎んだ。醜い彼を嘲笑する意図で「ドン・ファン」という言葉を投げつけられたからその名も嫌いになった。後にファントムがなぜ「勝ち誇ったドン・ジョヴァンニ」を作曲したかの遠因である。スーザン・ケイの『ファントム』は、彼がなぜあのような存在になったのか、『オペラ座の怪人』から逆算して原因となるエピソードを重ねていく。

秀逸なのは、死体になった母と再会した場面だ。彼女が望まないのがわかっていたから、エリックは母にキスしなかった。同時になぜ、彼女から自分が拒絶されたかを理解する。死が、母を醜くしていたからだ。同作は、人々が彼を忌まわしく感じるのは、容貌が「死」のように醜いからだという。それは、『オペラ座の怪人』の仮面舞踏会で赤き死の仮面を着けていたことから逆算された説明だろう。

エリック、ラウル、クリスティーヌの三角関係についても書きこまれている。二人の男の間で心が揺れ動くクリスティーヌは、ラウルを冷たくあしらったりもするのだが、彼は真面目に受けとらない。ラウルもしつこいのであって、エリックだけでなく彼までストーカー的にみえる。また、クリスティーヌはエリックの母が死んだ年に生まれたとされ、イメージの重ねあわせが強化される。何が望みかという問いを発した母にキスを望んで拒絶されたエリックは、同じように問いかけたクリスティーヌからキスを得る。

『オペラ座の怪人』原作のクリスティーヌはファントムの額に口づけしただけだが、『ファントム』の彼女は自らの意志で唇を重ね、キスの雨を降らせる。同作の場合、エリックはオペラ座の地下に実母の使ったベッドを運び入れており、彼はそこで死を迎える。母へのそんな歪んだ愛憎は、アルフレッド・ヒチコック監督『サイコ』の主人公ノーマン・ベイツのマザー・コンプレックスを思い出させもする。このようにスーザン・ケイは『オペラ座の怪人』の登場人物に対し、一種の精神分析的な解釈を加えて『ファントム』を二次創作したわけだ。

一方、ミュージカルとして『オペラ座の怪人』の新しいスタンダードを生んだロイド・ウェバーも続編制作に動いたが、そちらにもスーザン・ケイ『ファントム』のような逆算の心理解釈がみられた。ロイド・ウェバーが続編執筆を依頼したのは、『オデッサ・ファイル』などで知られるベストセラー作家フレデリック・フォーサイスだった。彼が書いた小説は『マンハッタンの怪人』（一九九九年）として書籍化されている。同作では、パリからニューヨークへ渡ったファントムが富豪になっている。彼は表に出ず、陰で権力を行使する形でコニーアイランドの遊園地に融資した後、オペラハウスを設ける。かつてはオペラ座の地下に隠れていたのに、渡米後は高層ビルの最上階に住むようになった点が、地位の上昇を示す。力を獲得したファントムは、パリで結ばれることのなかったクリスティーヌを自身が誰かを隠して呼び寄せ、自作オペラに出演させ、自らも出演する。アメリカの南北戦争を題材にしたそのオペラで彼が演じるのは、顔を負傷した大尉だ（横溝正史『犬神家の一族』の傷ついた顔をマスクで隠した復員兵スケキヨを連想させる）。ファントムは顔の醜さを自ら劇化するのである。一方、現在のクリスティーヌはラウルと結婚しており、息子がいる。だが、その父はファントムだったのであり、ラウルは少年時代の事件が原因で性的不能者になっていたと明かされるのだ。

ガルニエ設計のオペラ座の建設がパリ・コミューン期と重なっていたこともあり、『オペラ座の怪人』には革命の時代が過ぎたその残響のようなものが感じられる。サイレント映画版やロイド・ウェバー版などにみられる群衆蜂起の描写も一例だ。そうしてフランス史を感じさせた前作に対し、パリから舞台を移した『マンハッタンの怪人』は、南北戦争に言及することでアメリカ史を背景として用いようとする。また、ロイド・ウェバー版『オペラ座の怪人』で演出の鍵となった、玩具でもオルゴールでもあるシンバルを叩く猿を、ファントムとクリスティーヌを結ぶ思い出の品として効果的に使う。フォーサイスによる続編にはそれらの工夫が施されていた。

しかし、ロイド・ウェバーは、フォーサイス案を前作の物語に似すぎているとして、一部の要素を残しつつもそのままの舞台化は見送った。ベン・エルトンが中心となって脚色し二〇一〇年に初演（二〇一二年に改訂）された実際の続編『ラヴ・ネヴァー・ダイズ』（ロイド・ウェバー作曲、グレン・スレーター作詞）は、ファントムが高層ビル住まいなどではなく、コニーアイランドの遊園地の経営者として登場する。そこは軽業、踊りなど様々な芸が披露される見世物空間であり、フリークスも多くいる。オペラ座の芸術とは異なる、猥雑な芸能が繰り広げられる場だ。前章で触れた『フリークス』や『グレイテスト・ショーマン』にあった異形のものたちの同胞愛が、この作品にも漂う。ラウルは性的不能者ではないが、酒と賭博に溺れており、クリスティーヌが渡米して音楽活動をする背景に彼の借金があるとされる。ラウルも、前作のような優等生キャラクターではない。いわばフリークスに近づいている。ファントム、ラウルは、それぞれクリスティーヌと過ごした十年前の甘やかな時間をとり戻そうとして対立する。ともに渡米しファントムを支えてきたマダム・ジリー（オペラ座のバレエ教師）と娘で踊り子のメグ（クリスティーヌの友人）は、信奉し愛する彼がクリスティーヌに執着することへ嫉妬を強めていく。

前作の三角関係が、続編では五角関係に拡大されるわけである。だが、ストーカー的存在を軸にした複雑な人間模様の愛憎劇でありながら、物語の焦点は父子関係に収斂していく（恋愛の多角関係と父子関係の交差は、ルルーの『黄色い部屋の謎』の続編『黒衣婦人の香り』的でもある。その意味ではルルー的構図の力学の影響が残っている）。クリスティーヌが産んだ息子の父親がラウルではなく、ファントムだというフォーサイス案は『ラヴ・ネヴァー・ダイズ』に継承された。ファントムとラウルがそれぞれ愛の成就を望み、未来に期待を抱いた前作に比べ、二人とも自身が美化した過去に囚われている『ラヴ・ネヴァー・ダイズ』は後ろむきの陰鬱さが漂い、商業的に成功しなかったのは理解できる。五角関係が破滅的結末を迎えるなか、父と幼い息子の対面と和解だけが癒しを残す。

クリスティーヌの子の父親がファントムだったとする展開は、スーザン・ケイ『ファントム』にも盛りこまれていた。『オペラ座の怪人』の原作もロイド・ウェバー版もファントムはキスされただけで激しく動揺するが、それ以前にも地下へ訪れていたクリスティーヌと彼の関係がどの程度のものだったのか、どちらのヴァージョンも曖昧にしていた。それに対し、この節で触れた一連の後日譚では、プラトニックな関係ではなく、ファントムによる一方的な蹂躙でもなく、二人の間に愛情も肉欲もあったのだと描く。曖昧であるゆえにロマンティックなファンタジーと思われた物語が、現実的なレベルで再話され過去が反芻される。解釈として興味深くても、それは夢から覚める物語であり、正編以上の感興は呼びにくいことは否めない。

仮面舞踏会におけるファントムの孤独

ロイド・ウェバー版『オペラ座の怪人』は、二〇〇四年にジョエル・シュマッカー監督により、舞台版をおおむね素直に視覚化したミュージカル映画となった。ただ、舞台版では後年のラウルがまず登場し、回想する形で本編が最後まで演じられるのに対し、映画版では中盤や結末にも老いた彼の姿が挿入され、物語の外枠が強調される。また、見世物小屋で檻に入れられていた醜い子どもをマダム・ジリーが助けたエピソードが追加された（デヴィッド・リンチ監督『エレファント・マン』を想起させる）。ファントムの過去を描いたこのくだりはロイド・ウェバーではなくシュマッカーのアイデアだというが、老いたラウルの描きかたとともに、観たものには『ラヴ・ネヴァー・ダイズ』とリンクする要素のようにも感じられる。また、シュマッカー監督のアレンジで興味深いのは、次のインタヴューで語られている部分だ。

——ヒロインのクリスティーヌを、ファントムが地下室に連れて行くシーンでは、壁から突きだした無数の手が燭台を持っていますが、ジャン・コクトーの『美女と野獣』にそっくりなんですが……。

シュマッカー （略）うん、コクトーの『美女と野獣』からパクった。（略）でも、あのシーンのおかげでファントムの隠れ家のセクシャルな雰囲気も濃厚になったし、ファンタジックなムードも出せたと思う。

（『映画秘宝』二〇〇五年三月号。高橋ヨシキ『悪魔が憐れむ歌　暗黒映画入門』二〇一三年所収）

ルルー『オペラ座の怪人』がユゴー『ノートルダム・ド・パリ』の影響下で書かれたことは既述の通り

だが、以前から指摘されるようにコクトー版やディズニー版などの『美女と野獣』とも類似点がみられる。日本では『オペラ座の怪人』を上演した劇団四季が、ディズニー版の『美女と野獣』、『ノートルダムの鐘（ノートルダム・ド・パリ）』を手がけたため、なおさらそう感じられる。これら三作は、醜く怪物的な存在が美女に恋するが、ライバルとして見た目の美しい青年が登場する構図が共通する。しかも、ファントムはオペラ座、カジモドはノートルダム大聖堂、野獣は城という風に、いずれも人物や怪物などの多くの彫像で飾られた建物と、独身者の主人公が強く結びつけられているのだ。己の醜い姿を自覚しすぎた彼らは、自閉的な性格になっている。信頼や愛情によるコミュニケーションができない彼らは、オペラ座、大聖堂、城といった空間と一体化することでそれを成立させようとする。ただ、他人から怪物と見られる三者は、存在のあり方が違う。魔法にかけられた野獣は元の姿の王子に戻れる。カジモドの姿は変わりようがない。一方、ファントムは醜く無垢でもある素顔を持ちつつ、仮面を着けテクネーで武装して残忍にもなる。彼のキャラクターの核には、二面性がある。

『ラヴ・ネヴァー・ダイズ』では、息子グスタフが、仮面をとったファントムの醜い素顔を初めて見て恐怖した。だが、実の父だと知り、「心で見つめて」という母の言葉を理解した後には、その顔を優しく撫でる。醜い顔を最初は激しく拒絶するが、後に優しく受け入れる。この経過は前作でクリスティーヌが示した反応の再現であり、どちらも幼少時に顔の醜さゆえファントムが受けた実母からの拒絶を、反復を経て反転したエピソードとなっている。『オペラ座の怪人』の物語を心理面から分析した場合、それがトラウマとなった原体験といえる。ゆえに醜い顔を受け入れられることが彼の救いとなるし、仮面だけを残しファントムが消えたロイド・ウェバー版『オペラ座の怪人』のエンディングが、象徴的な意味を持つ。それはテクネーによる武装を放棄した瞬間でもあっただろう。

『オペラ座の怪人』で仮面をめぐる印象的な場面といえば、原作やサイレント映画版でも描かれ、ロイド・ウェバー版の舞台では第二部の冒頭に置かれた仮面舞踏会だ。オペラ上演中の客席にファントムが天井のシャンデリアを落下させ、惨事を起こしてからしばらく後、劇場関係者は仮面舞踏会を催す。参加者全員が仮面をかぶった会場に、やはり仮面を着けたファントムがまぎれこみ人々を脅迫する。離れた場所に潜んでいると思いこんでいた敵が、気づけばすぐそばにいた、私たちのなかに混じっていたと緊張感が高まる瞬間だ。ファントムという脅威が存在するとわかっている状況で、みんなが素顔を隠し、誰が誰だかわからなくなる仮面舞踏会を開くのは、客観的にみれば愚の骨頂である。敵がまぎれこみやすい状況を自分たちで作っているのだから。だが、参加しているのは、オペラ座の関係者なのだ。舞台上にこの現実とは別の世界を立ち上げるのを生業とする人々だ。役者は当然、演目が替わるたび、別のキャラクターになる。そのような別世界願望、変身願望を人並み以上に抱えた連中が、別人となって気分転換しようとするのは、自然ななりゆきではないか。だから、物語のなかでは、すでに危機に見舞われているオペラ座で仮面舞踏会が催される展開に、さほど違和感を抱かない。ロイド・ウェバーが作ったこの場面の華やかな曲「マスカレード」(仮面舞踏会)に、チャールズ・ハートは次に抜粋する詞を書いた。

マスカレード！
紙の顔たちのパレード
マスカレード！

顔を隠すんだ、世界に見つけられないように！
マスカレード！
すべての顔に違った影が
マスカレード！
見回してごらん！　別の仮面がほら君の後ろに！
マスカレード！
燃える一瞥、ふりむく頭
マスカレード！
立ち止まって、君の周りの微笑みの海を見つめて
マスカレード！
ニヤニヤ笑う黄色、クルクル回る赤色
マスカレード！
好きなだけどうぞ、この光景で君をびっくりさせよう

（筆者訳）

ここには、非日常の楽しさがある。だが、仮面をかぶる行為は同じでも、ほかの参加者とファントムでは動機が異なる。仮面舞踏会とは、素顔の表情を隠して日頃の自分を忘れ、はめをはずして浮かれ騒ぐもの。だが、ファントムが仮面をかぶるのは、自分の醜い顔が他人を怖がらせることを知っているからだ。彼は、一方的に恋している若手女優を地下の棲家に連れ去る。彼女は、好奇心から怪人の仮面を剝ぐが、

露わになった醜い顔に恐怖して震えた。隠されていたものを自分から好き好んで暴いたくせに、相手のせいでショックを受けたという態度なのだ。身勝手で差別的なふるまいといってもいい。ファントムは、心の動きを映す表情以前に、形状のために顔を忌避される経験を何度もしてきている。自己防衛として仮面をかぶらざるをえない。容貌にコンプレックスがある怪人は、自分は自分でしかないという自意識に苦しめられ、仮面で精神的に武装する。ほかの誰かになってみたいという楽天的な変身願望で仮面舞踏会に遊び興じる人々とは、根本的に動機が違う。仮面を着けて素顔を隠すことはできても、怪人の頭のなかに自分本人が変身しうるといった可能性の想像などない。彼は孤独だ。

悪魔になりきれない人間性

先にロイド・ウェバー版『オペラ座の怪人』は、前半で歌われた楽曲が後半で変奏される音楽的構成が、登場人物の心理や状況の変化をよく表現していると評した。「マスカレード」もそうだ。舞台の第一部では、事件終結から何年も経った後に開かれたオークションの場面がプロローグとなる。六六三番から番号順に、オペラ座に関連した品物が競りで落札されていく。六六六番には怪人が客席に落としたシャンデリアが登場する。それが光り、天井へと吊り上げられていくとあのよく知られた「オーヴァチュア」が鳴り響き、過去へ戻って物語本編が始まる。ホラーが好きな人はすぐにピンとくるだろうが、六六六とは『新約聖書』の「ヨハネの黙示録」で獣の数字とされているものだ。映画『オーメン』（一九七六年）で悪魔の子に「666」の痣があったと設定された例が典型的だが、この数字はしばしば悪を暗示するとされてきた。ファントムが落下させたシャンデリアを六六六と結びつけることで、彼の悪魔性を示唆する演出だ。

その直前の六六五番に出品されたのは、手回しオルガンの上にシンバルを叩く猿のぬいぐるみをのせた形のオルゴールだった。物語本編に入れば、観客はやがてそのオルゴールが、怪人の暮らす地下の部屋に置かれているのに気づく。また、ロイド・ウェバー版の第二部は、仮面舞踏会の場面から始まる。派手なコスチュームを身に着け、仮面や厚い化粧で別の誰かに扮した人々が「マスカレード」を揃って歌い踊る。プロローグでほんの短い間、オルゴールから流れたメロディが、「マスカレード」のサビであったことがここでわかる。それは、素顔を仮面で隠して遊ぶ楽しさを歌った、陽気な曲だった。しかし、仮面を着けた大勢の参加者のなかに「赤き死の仮面」（エドガー・アラン・ポーの同名短編小説に由来する）に扮したファントムが現れ、人々を脅し始めると、「マスカレード」のにぎやかな曲調は消え去ってしまう。

物語の終盤、クリスティーヌはファントムに対し、愛情らしきものを覗かせる。「母にすら恐れられ嫌悪されたこの顔」と語る彼に、彼女は「恐ろしいのは顔ではない／本当の醜さは心のなかに」と返す。そして、醜い素顔の相手にキスして彼の孤独への理解と同情を示す。しかし、最終的に選択するのは幼なじみの恋人ラウルなのだ。生まれて初めて愛を知ったものの、その愛に敗れ一人になったファントムは、猿のオルゴールにあわせ、「マスカレード／顔を隠すんだ、世界に見つけられないように」という歌詞をささやく。自分の孤独を仮面に隠して生きることしかできなかった彼の二面性の悲哀が、独り言として歌われるこの一節に凝縮されている。自身のコンプレックスとプライドを持てあますファントムには、仮面舞踏会のほかの参加者たちと同じように仲良く踊り、合唱する真似などできなかった。後の時代のオークションでは六六六より一つだけ少ない番号で出品される「マスカレード」を奏でたオルゴール。残忍な悪魔性の六六六と背中合わせになった無垢な孤独の六六五。その番号は、悪魔になりきれない怪人の人間性を象徴するものになっていた。第二部のオープニングでコスプレした人々（なかには猿に扮した者もいる）が大階段いっぱいに広がり、歌い興じた「マスカレード」とは対照的に、猿のオルゴールを相手に怪人が一人寂しくつぶやいた「マスカレード」。ロイド・ウェバー版で私が最も感動するのはこの場面だ。ルルーが世に送り出したファントムというキャラクターの本質をつかまえた演出だと思う。

作品リスト

［小説］
ガストン・ルルー『オペラ座の怪人』1910年

スーザン・ケイ『ファントム』1990年

フレデリック・フォーサイス『マンハッタンの怪人』1999年

［映画］
ルパート・ジュリアン監督『オペラの怪人』1925年
出演：ロン・チェイニー、メアリー・フィルビン

アーサー・ルービン監督『オペラの怪人』1943年
出演：クロード・レインズ、スザンヌ・フォスター

テレンス・フィッシャー監督『オペラ座の怪人』1962年
出演：ハーバート・ロム、ヘザー・シアーズ

馬徐維邦監督『深夜の歌声（夜半歌聲）』1937年
出演：金山

ブライアン・デ・パルマ監督『ファントム・オブ・パラダイス』1974年
出演：ウィリアム・フィンレイ、ポール・ウィリアムズ

ドワイト・H・リトル監督『オペラ座の怪人』1989年
出演：ロバート・イングランド、ジル・シュエレン。

ダリオ・アルジェント監督『オペラ座の怪人』1998年
出演：ジュリアン・サンズ、アーシア・アルジェント

ジョエル・シュマッカー監督『オペラ座の怪人』2004年
出演：ジェラルド・バトラー、エミー・ロッサム

［ミュージカル］

ケン・ヒル編曲・作詞『オペラ座の怪人』1976年

アンドリュー・ロイド・ウェバー作曲、チャールズ・ハート作詞
『オペラ座の怪人』1986年

モーリー・イェストン作詞・作曲『ファントム』1991年

アンドリュー・ロイド・ウェバー作曲
グレン・スレーター＋チャールズ・ハート作詞
『ラヴ・ネヴァー・ダイズ』2010年

第四章 異族越境——『ウンディーネ』／『人魚姫』／『リトル・マーメイド』

水の一族の娘が、人間の男に恋をした。彼女は相手と結ばれるため、一族から離れ人間に変身した。しかし、男はべつの女に魅かれるようになる。娘の変身にはあるとりきめがあり、人間との愛に破れると災いが訪れることになっていた。

「水の女」と「陸の男」

右記は、水の精や人魚の女性と人間の男性が結ばれる異類婚姻譚の基本パターンである。船で海に出た男が、魔性の女の声に心乱されるといった説話は昔から存在する。ルーツの一つは、美しい歌声で男を惑わし遭難させたギリシア神話の怪物セイレーンだろう。ホメロス『オデュッセイア』では、上半身は人間の女、下半身は鳥という姿のセイレーンの歌を聴きたいと思ったオデュッセウスの策略が語られた。船員には蜜蠟で耳を塞がせ、自分をマストに縛らせて歌声の魔力から逃れたというのだ。旧くは半人半鳥とされた海の怪物は、中世以降は半人半魚のいわゆる人魚の姿へイメージを変えていく。鱗を持った水の精に関しては、フランスで伝承された下半身が蛇のメリュジーヌの異類婚姻譚も人魚伝説と近しいものと考えられてきた。小黒康正『水の女　トポスへの船路』（二〇一二年）は、ドイツを中心にヨーロッパにおける「水の女」と「陸の男」が出会う文学モチーフの変遷を詳細に論じている。同書は多くの作品を歴史的に比較考察し、「水の女」について、美しい声で歌う、美しい姿を見せるという二つの傾向を指摘した。それらは、現代において最もポピュラーな「水の女」であろうディズニーのアニメ映画『リトル・マーメイド』(一九八九年)の主人公アリエルにも見出せるものだ。

本章では、『リトル・マーメイド』以前の「水の女」の系譜を代表する作品としてフリードリヒ・フケーの小説『ウンディーネ』(一八一一年)、ハンス・クリスチャン・アンデルセンの創作童話『人魚姫』(一八三七年)をまず考察したい。『リトル・マーメイド』は『人魚姫』を原作として発想され、『人魚姫』は『ウンディーネ』の影響下で書かれたからだ。また、『ウンディーネ』のアダプテーションとしてジャン・ジロドゥによる戯曲化『オンディーヌ』(一九三九年)が知られている。同作をストレートプレイ(科白劇)で手がけてきた劇団四季が、日本でミュージカル版『リトル・マーメイド』を上演してきたことも興味深い。

『ウンディーネ』とは、こんな物語だ。騎士フルトブラントが森で道に迷い、湖岸の漁師小屋に宿泊を請う。彼は、その家で老夫婦に育てられた養女ウンディーネと恋に落ち、間もなく結婚する。婚礼の翌日、彼女は自分が魂のない水の精であり、人間との結婚で魂を得たのだと打ち明けるが、フルトブラントは受け入れ、愛を誓う。新妻を連れ帰った町では、彼を慕い結婚するつもりだった良家のベルタルダが待っていた。それでも彼女はウンディーネと親しくなる。だが、実は、ベルタルダはあの漁師の老夫婦の子どもだったと、ウンディーネが人々の面前で真実を伝えると本人は激昂し、育ての親とも生みの親とも溝ができてしまう。やがて、三人が城で生活するうちにフルトブラントはベルタルダの方を愛するようになり、ウンディーネは彼のもとを去る。フルトブラントがウンディーネを裏切って再婚すれば、彼女は彼の命を奪わなければならないのが、精霊界の掟だった。再婚の式を挙げた彼は、元妻の口づけで命を絶たれる。

キスは、命を吹きこむ／吸いとるという裏表の象徴性を持つが、『ウンディーネ』は死のイメージで結末を迎えるのだ。

『水の精（ウンディーネ）』（二〇一六年）の識名章喜による訳者解説によると、フケーはこの小説を、ルネサンス期の錬金術師パラケルススの著作『水の精（ニンフ）、風の精（シルフ）、矮人（ピグミー）、火蛇（サラマンダー）、その他の妖精に関する書』（通称『妖精の書』）から着想した。同書では水の精について「さて、四大精霊は人間であるが、獣と同様魂を持たない」としつつ、「アダムの裔の一人の男」（すなわち人間）と結婚すれば、「子には魂が注ぎ込まれ、魂と永遠を具えたまともな人間になるのである」としていた。水の精の「女たちも結婚した後では魂を身に宿し、他の女たち同様、神の手で神によって救済されるのである」（種村季弘訳。引用は『水の精』解説から）からだ。フケーのウンディーネは、半人半鳥や半人半魚でなく姿はとても美しい人間の女性だったが、魂のない水の精であり、老夫婦の下で暮らした時には、言葉もふるまいも子どもっぽく無邪気で我がままだった。気まぐれに家を飛び出したウンディーネが、ようやく彼女を探し当てたフルトブラントにすがりつき、歌い始めた時の様子などに魂の欠落が垣間見える。

漁夫はウンディーネの歌を聴いて、涙にむせびましたが、彼女のほうはとくに感動する様子もありません。（『水の精』）

老いた養父は、嵐のなかへ出ていった娘を心配したというのに、本人には相手を思いやる気持ちがうかがえない。ところが、フルトブラントと結婚し、魂を与えられてからのウンディーネは、悪戯ばかりしていたことを忘れたように信心深く気立てのよい女性になる。ベルタルダの聖名祝日（与えられた洗礼名の由来となった聖人の祝日）という本人にとっての記念日に、彼女が本当は漁師の娘だとウンディーネが伝えたのも、真実を教えるのが正しいと信じ、真心からしたことだった。だが、養父母の大公夫妻の下で貴婦人として育てられた当人にしてみれば、大勢が集まった祝いの席でそんな出自を明かされるのは屈辱でしかない。怒り狂った彼女は、実の父母を口汚く罵り、ウンディーネを「悪霊たちと付き合っている魔女よ！」（同前）となじった。結果的にベルタルダの猛々しい言動は養父母の逆鱗に触れ、いずれの両親とも縁が切れてしまう。

ベルタルダが悲嘆に暮れるのに接し、ウンディーネはすすり泣く。だが、真実を告げた直後の言い争いで彼女は「あなたには魂（こころ）があるの？　ほんとうに魂があるの、ベルタルダ？」と問うていたのだし、自らの正しさを疑わなかった。彼女の発言が引き起こした展開をみてフルトブラントは、「わたしがウンディーネに魂を与えたとしたなら」、「自分の魂よりもすばらしい魂をあげたのだろうな」（同前）と独り言をもらす。その言葉は、やがて彼がべつの女へ心変わりして不倫に走る伏線のようにみえる。漁師夫妻の娘としてウンディーネとベルタルダは入れ替わっていた。そのことが、フルトブラントの妻という立場の入れ替わりにもつながった。物語でウンディーネは人間との結婚によって魂を得たとされるが、出自の真実を告げたならばベルタルダは激しく混乱すると予想できそうなものなのに、人前でそれを口にしてしまう。魂を得たことで正しさを知ったものの、相手の気持ちを察せられない、いわゆる空気を読めない態度である。やはりウンディーネは、人間とは異種族だと印象づける。後に彼女は、ベルタルダと再婚したフルトブラントを殺すが、嫉妬で怒り狂ってそうするのではない。裏切った相手に死を与えねばならない精霊界の掟に従い、哀しみとともに死の口づけをするのだ。彼女は夢で夫に警告したのに、彼がなお愚行に走ったため、そうせざるをえない。

気まぐれなところがなくなったウンディーネから、親との関係が破綻し精神の脆さが現れたベルタルダへ、フルトブラントは心移りした。彼の恋は、ある種の不完全さを嗜好しているように感じられるし、それは自身が正しいだけではいられない人間だからだろう。ウンディーネとベルタルダが、フルトブラントを巡る恋敵として、また魂の有無に関して拮抗する物語は、人間らしさとは、魂とはなにかを問うものにもなっている。漁師小屋でのフルトブラントとの婚礼の場で、魂を得る前のウンディーネは立ち会った神父に「魂なんかに関わりにならないほうがましだってことはありませんか？」、「魂って重いものにちがいありません」（同前）と恐れを覗かせていた。

それが近づいてくるのを思うだけで、不安と哀しみで暗い気持ちになります。ああ、あたし、いままではのびのびと軽やかだったし、いつも陽気だったのに！（同前）

その翌日、ウンディーネから水の精であり結婚によって魂を得たと明かされたフルトブラントは、こう思ったのだった。

そしてギリシャの彫刻師ピグマリオンよりも、自分は幸せ者だと喜びました。女神ヴィーナスがピグマリオンの彫った美しい石像に命を吹き込み、彼の恋人に仕立てた故事を思い出したのです。（同前）

ピグマリオンの恋人となる石像はヴィーナスによって命が吹きこまれたのに対し、ウンディーネに魂を吹きこんだのは恋人であるフルトブラント自身だったから、自分を幸せ者だと思ったのだろう。だが、彼は、魂を吹きこんだウンディーネを裏切ることによって、彼女から命を吹き消される。結婚と破綻の過程で陽気さをなくしたウンディーネは、魂の重さを知っただろう。精霊が魂を得て人間になったゆえに引き寄せられた悲劇である。

ウンディーネという異類は、単独の存在ではない。彼女は、水の精の種族の一人であるからこそ、精霊界の掟に縛られた。ウンディーネが愛を交わした人間から魂を得るのは、水界の大王である父が望んだことだった。だが、人間をよく思っていないらしい伯父のキューレボルンは、彼女になにかとつきまとい、水にからんだ怪異を起こす。ベルタルダが洗顔用に水を汲んでいた城の井戸をウンディーネが石でふさがせたのも、水の怪異から遠ざけるためだった。井戸から石がどけられることは、災厄の侵入と結びつく。キューレボルンの暗躍は、ウンディーネが水の種族の一人であると印象づけ、彼女が人間になるために越えた溝の大きさを強調する。よく知られた異類婚姻譚をみた場合、『美女と野獣』では姿を変えられていた王子が人間の姿に戻ることでハッピーエンドとなったのに対し、『ウンディーネ』では水の精が魂を得て人間になることで逆に悲劇へむかう。前者では女のキスで野獣は蘇って人間に戻り、後者ではキスによって騎士は命を奪われる。対照的な内容だ。

変身と声の抑圧

『ウンディーネ』の場合、水の精が人間との結婚で魂を得たが、姿には変化がなかった。それに対し、アンデルセンの創作童話『人魚姫』は、魂の獲得という着想を『ウンディーネ』から受け継ぎつつ、いくつかの要素を付加した。人間の王子に恋した人魚姫は、魔女に美しい声をさし出す代わりに足を授けられ、人間の姿になる。だが、王子から愛され結婚できなければ魂は得られず、死ぬのだ。結局、声を出せず話せない主人公は思いや考えを相手に伝えられず、王子はほかの姫君と結婚する。人魚姫の五人の姉は、魔女から手に入れたナイフを妹に渡す。王子を殺せば妹は元の姿に戻れるからだ。しかし、ウンディーネがフルトブラントの命を奪ったのとは異なり、人魚姫は王子を殺すことができず、死を選び泡になる。二作の展開の差は、妻にしたウンディーネをフルトブラントが裏切ったのに対し、人魚姫は王子との意思疎通を欠き、片想いのままであることと照応しているだろう。王子は裏切ったのではない。泡となり空気の精となった人魚姫は、三百年間、善行を続ければ魂を得て神の国へ行けるという。あまりにも遠い救いが示されて物語は終わる。

好きになった男性と同じ人間になるため、魔女に舌を切りとられ、自分の美点だった声を失う。魔女に与えられた薬を飲むと、鱗に覆われた下半身の尾びれが白い足に変わる。薬を飲む際、「両刃の剣できゃしゃなからだを突き刺されたようで」あっただけでなく、新たに自分のものになった足は一歩ごとに「とがった錐かするどいナイフの上をふんでいくような」(『小さい人魚姫』)痛さだ。主人公は、自分の想いに応えてくれない相手を刺し、その血を足に浴びれば本来の自分の姿をとり戻せると教えられる。五人の姉はそのためのナイフを魔女からもらう代償として、自分たちの髪を切り落とした。『人魚姫』は、三百年先の魂の救済という、ハッピーエンドと呼ぶにはあまりに抽象的な結末を迎えるが、主人公の経験やとりえたべつの行動のいずれもが、切る、血、飲む、刺す、苦痛といった肉体的で生々しいイメージに彩られている。人魚姫の痛みを伴った人間への変身については、以前から性的成長や破瓜の暗喩とする解釈があった。また、この物語が、アンデルセン自身の失恋を反映しているとするのは定説だ。下半身を鱗で覆われた人魚、異種族とのディスコミュニケーションという題材に関し、女性との関係性だけでなく、作者の同性愛的、バイセクシュアル的傾向が現実世界で直面した挫折が影を落としたとする説もある。

興味深いのは、アンデルセンが『人魚姫』以前にやはり人魚と人間の恋愛を題材にした作品を書いていたことだ。人間の男性に人魚の女性が恋した『人魚姫』とは逆に、デンマークには人魚の男と人間の女の悲恋を歌った民謡「アウネーテ（アグネーテ）と人魚」が流布しており、それを翻案した詩がしばしば書かれていた。アンデルセンの戯曲詩『アウネーテと人魚』（一八三四年）もその一つだ。同作のアウネーテは、風琴ひきの青年から求婚されるものの、人魚の男の誘いに応じ海の底の宮殿で暮らすようになる。彼女は人魚の妻となり子どもを複数もうけるが、寂しさがつのり、戻ってくるからと夫に頼み地上へ帰る。ところが、故郷では五十年が過ぎており、母は死に、かつての求婚者は老いている。彼は若いままの彼女を魔物あつかいするし、教会に入れば聖像がみな顔をそむける。アウネーテが浜辺へ行くと、人魚が現れ、残された子どもたちが泣いていると訴える。だが、「イエス様、私を迎えてください」と許しを請う彼女は、その場に倒れ息絶えるのだ。

現世以上の楽しさを味わった者の時間が、現世の人々以上の速さで過ぎ去る『アウネーテと人魚』の内容は、日本の昔話『浦島太郎』を連想させる。この戯曲詩と『人魚姫』の差は、男女の属性が逆であるだけではない。人魚と人間が結ばれ子を作ったこと。海から陸へ、また死後は泡となり天へと上方向だけに進んだ人魚姫に対し、アウネーテは陸から海、また陸へと往復すること。遠い未来とはいえ救いの可能性が示される『人魚姫』とは違い、『アウネーテと人魚』は死で幕を閉じること。多くの違いがある。同作は評判が悪く、アンデルセンの信頼する知人たちからも批判された。だが、彼は創作童話という自分の進むべき道を見出した後、異種族との悲恋という同じモチーフを『人魚姫』であらためて昇華する。二作の配役をみれば、アンデルセンの失恋の痛みや同性愛的傾向の抑圧はどちらでも、半人半魚の姿をしており愛を受け入れてもらえない人魚に投影されたようだ。

しかし、二作の人魚は男女の差以上に存在のあり方に違いがある。『アウネーテと人魚』の人魚は、水上に姿をみせることはあっても、あくまで海のなかの存在だ。それに対し、『人魚姫』の主人公は、王子の傍へ行くため、尾びれを足に変え陸へ上がるが、代償として声を失う。人魚が人間の隣に並ぶには、変身と声の抑圧が要請されるこの設定は、マジョリティの間でマイノリティが正体と本音を隠さなければならないことの象徴的な表現と読める。また、二作とも人魚、人間の違いはあるにせよ、陸から海へ、海から陸へと越境するのは女性だ。海の王、陸の王子という安定した立場に守られているのは男性であり、彼がいる階層へ越境するに際し負荷がかかるのは女性の側である。『アウネーテと人魚』と『人魚姫』はいずれも、人間に対するマイノリティとしての人魚（同性愛の暗喩）、男性と非対称な地位にある女性という構図を含んでいるのだ。

二作は、神の存在を前提にしたキリスト教的世界観で共通する。陸の男の求婚を受け入れず、海の人魚との生活にも寂しさを覚えて地上に戻ったアウネーテは、自身のそれまでの行動が神の摂理に反していたと思い知らされ、罰を受けるように急死する。それに対し、『人魚姫』では、人ならぬ者が魂を得る可能性性が示されるが、主人公が恋した王子は人間の女を結婚相手に選ぶ。だが、人魚姫は善行を積むことで神に救われ魂を得るのだ。『アウネーテと人魚』では、陸上と海中の時間の進みかたが異なることでそれぞれの秩序があることが示唆された。『人魚姫』では、主人公が変身しなければ海から陸へ上がれないことで、それぞれの領域がべつの秩序で動いているとわかる。だが、いずれの作品でも、陸と海、二つの領域の全体に神の摂理がおよんでいることが、物語の前提となるのだ。

両作に像が登場するのが、興味深い。『アウネーテと人魚』の場合、アウネーテが教会へ入ると、人魚と結婚した彼女を非難するかのように聖像が顔をそむける。教会の聖像は神の意志をあらわすのだろうし、罰が下されるように彼女が死ぬ結末を予感させる。一方、『人魚姫』の主人公は、王子を見初める前に難破船とともに沈んだ美しい少年の大理石像を海底の花壇に飾っていた。『ウンディーネ』では結婚により水の精に魂を与えたフルトブラントが、自身をピグマリオンになぞらえた。魂を得る前の水の精は、像に等しかったというようなものである。一方、まだ魂についてなど考えず、それを得る可能性すら想像していない人魚姫が、人の形をなぞっただけで魂のない像を愛でている。魂のないもの同士で釣りあった状態ともいえるが、やがて彼女は魂を持つ人間の近くへ分不相応かもしれない越境をして苦しむ。人間と異族の物語のなかに、それぞれのあり方を照らし返し身分を問うかのように像が登場するのは、『美女と野獣』、『ノートルダムの鐘』、『オペラ座の怪人』のアダプテーション諸作でガーゴイルが放った存在感を想起させる。

アンデルセン『人魚姫』をアレンジしたディズニーのアニメ映画『リトル・マーメイド』（一九八九年。監督、脚本はジョン・マスカー、ロン・クレメンツ）でも、まず王子の登場に際し、彼の乗った船の先に女神像があしらわれているのが映る。同乗する水夫が、海には人魚がいると王子に話し、老いた執事はいるはずがないと否定する。だが、存在が定かでなかった人魚は、やがて人間に姿を変え、王子の傍に現れるのだ。動かない女神像は、人間になる人魚姫がすでに海の下にいることを暗示していた。

『リトル・マーメイド』の主人公は、海の王トリトンの七人いる娘の末っ子アリエルだ。人魚である彼女は、海で集めた人間の道具の数々を洞窟の秘密の部屋に隠している。人間の世界に憧れるアリエルにとって、彼らが作り出した花瓶や食器、人形などは大切なコレクションであり、沈没船を探検して手に入れたフォークまで宝物に思える。だが、道具の用途はわからないため、知ったかぶりをするカモメのスカットルから、フォークは髪を梳くものだと教えられると信じてしまう。海の外にいる生身の王子に恋するよりも前に人間の作った物に魅かれるのは、アンデルセン童話で人魚姫が少年の大理石像を水中の花壇に飾っていたエピソードを受け継いでいる。だが、『人魚姫』と『リトル・マーメイド』を比べると、海の一族と人間との距離感が異なるのだ。『人魚姫』では、一歳ずつ違う人魚の六人姉妹がおり、十五歳になると海の上に浮かび人間の世界を見ることが許される。姉たちは外の世界を目にした当初は夢中になり、素晴らしさを妹たちに話すが、しばらくするとみな熱がさめ、やはり海の底がいいと思う。どの姉もそうだったが、末の姫はそうならない。海上に行くずっと前から姉たちの見たものを聞かされ、人間に関する話を祖母にねだるなかで、魂のない人魚も人間に愛され結婚すれば魂が得られると教えられた彼女は、出会った王子との恋をかなえようとするのだ。

姉たちが興味を持たなかった人間の世界に末娘だけが熱をあげ続ける。『リトル・マーメイド』の末娘アリエルは『人魚姫』からこの設定を踏襲した。ただ、『人魚姫』では、末娘の願望に賛成しないものの、話し相手となり、人間について教えてくれる祖母がいた。また、亡き母の代わり的な役割を祖母が果たす一方、父は物語の展開にほぼかかわらず影が薄かった。それに対し、『リトル・マーメイド』では母も祖母もおらず、父のトリトン王は、娘たちに人間の世界との接触を厳しく禁ずる強権的存在だ。『人魚姫』では、孫を思いやる善き理解者の祖母、主人公の願望につけこんで声を奪う悪しき理解者の魔女という対比があった。それが『リトル・マーメイド』では、末娘の願望に無理解で否定するばかりの父のトリトン王、彼女の願望に理解したふりをする魔女アースラという図式にスライドする。さかのぼれば、『ウンディーネ』でも主人公の人間との結婚には水の種族の反発があり、伯父のキューレボルンがたびたび妨害行為をした。それは習わしに従わせようとする親族の嫌がらせだったが、トリトン王の場合、教育権を持つ親として子を直接的に指導しようとするのであり、子にとっては強制的な支配と感じられる。また、アースラはトリトン王によって王宮から追放された過去があり、彼に復讐し海の支配権を奪いたい野望があった。彼女はアリエルを陥れるが、トリトン王への反抗心には、女性同士の共感的側面も見受けられる。

トリトン王に対するアリエルの反抗が決定的になったのは、像がきっかけだ。嵐で船が遭難し海に投げ出された王子を助けたことから、彼女の恋心が燃えあがる。この展開はアンデルセン童話もディズニー映画も共通する。『人魚姫』から、気を失った王子を主人公が見つめる場面を引用しよう。

小さい人魚姫は、王子のひいでた美しい額にキスをして、ぬれた髪の毛をかきあげてやりました。姫には王子が、海の底のあの小さい花壇にある、大理石像に似ているように思えてなりませんでした。姫はもう一度キスして、どうぞ王子が生きかえりますようにと、心のなかでお祈りするのでした。

（同前）

『人魚姫』にはしばしばキスの場面が登場し、『ウンディーネ』や『美女と野獣』など他の異類婚姻譚のような重い意味は、キスにはない。だが、引用部分のキスに、命を吹きこみたいという思いがあらわれているのは確かだろう。ここでは死にかけた王子を蘇生させることに重ねて、お気に入りだった大理石像に命を吹きこむような、彼女のピグマリオン的願望が反映されていると推察される。その後、人魚姫が魔女と取り引きし、自身を人間化するピグマリオン的エピソードが続く。一方、『リトル・マーメイド』では、船上でエリック王子の誕生祝いが催されたその夜に嵐が襲う。王子を救ってからのアリエルは、彼への恋心でいっぱいになる。先の誕生祝いでは、執事のグリムズビーが王子の像をプレゼントに贈っていたが、船とともに海へ沈んだ。アリエルは、彼の像を洞窟に飾っていたが、その場所と彼女の人間への恋心をトリトン王が知ってしまう。激怒した父は、人間世界への憧れを示すコレクションの数々を破壊し、王子の像も粉々にする。娘の深い悲しみは父への反発をいっそう強くし、彼女はアースラのもとへ行くことを選ぶ。海上にいる人間の王子の似姿である像が海中で破壊されたことで、海中で生きてきたアリエルが人間になって海上へ出る決意を固める。怒りにまかせた父王のふるまいは、そういう結果を招く。アンデルセン童話における像の存在を、巧みにアレンジしたエピソードである。

『人魚姫』の場合、末娘以外の人魚の姉妹たちは、海はとてもいいところだと思っているゆえに人間世界への興味が持続しない。無関心なのだ。それに対し、『リトル・マーメイド』では海の支配者であるトリトン王が、魚を食う人間は野蛮で危険と考えており、人間の作り出した道具を素敵だと思い、人間にもいい人がいるというアリエルの意見に一切、耳を傾けない。ミュージカル仕立ての同映画で有名な曲といえば「アンダー・ザ・シー」と「パート・オブ・ユア・ワールド」だが、二曲の歌詞は対照的だ。「アンダー・ザ・シー」は、トリトン王からアリエルの監視を命じられ、彼女の人間への恋や秘密の部屋について父に告げ口する宮廷音楽家の蟹、セバスチャンがヴォーカルを務める曲である。陸では料理されるかもしれない悲惨な暮らしが待っているが、海の底は安全で美しく幸せだと歌う。カリプソ調の楽しい曲だが、トリトン王の定めたルールに従うよう恭順をうながす内容であり、アリエルは最後まで聞かず、その場を去ってしまう。それに対し、「パート・オブ・ユア・ワールド」は、海の上に対するアリエルの憧れを切々としたバラードにしており、秘密の部屋に並べた物を通して人間の世界を想像している段階でまず歌われ、彼女がエリック王子を遠くから見るだけでなく遭難時に助け、実際に接触した後に再び歌われる。アリエルは、数々の宝物のコレクションを前にしてそれだけでは十分ではないと、願望を吐露する。

人間がいるところへ行きたい
彼らと会って　踊るのを見てみたい
歩き回りたいの　なんと言ったっけ　そう〝足〟で
ヒレを動かしても遠くまで行けない
跳ねたり踊ったりするには足がなくては

散歩するんだ
あの言葉はなんだっけ
そう〝通り〟を
歩いて　走って
一日中　日を浴びて
自由気ままに過ごしたい
私もあの世界の一部になりたい

（アラン・メンケン作曲、ハワード・アシュマン作詞。筆者訳）

海からも父からも自由になって「あの世界の一部＝part of that world」になりたいとアリエルは望む。エリック王子への恋が明確になった後の「パート・オブ・ユア・ワールド（リプライズ）」では、願いはいっそう強まる。

どうすればあなたがいるところに住めるの
あなたのそばにずっといるにはどうしたらいいの
あなたが私に微笑んでくれるにはどうすればいいの
あなたと私　二人で日を浴びて過ごしたい
私はあなたの世界の一部になりたい

（同前）

「あの世界の一部＝part of that world」の一節が、「あなたの世界の一部＝part of your world」へと変わるのだ。

「世界」の一部であること

ディズニーには「世界（ワールド）」の語が入った有名曲が複数存在する。「イッツ・ア・スモール・ワールド」の場合、民族衣装を着た様々な国の子どもの人形が「世界は一つ」と唱和する同名アトラクションのテーマであり、ディズニーの世界観を象徴する曲だ。映画『アラジン』（一九九二年）の「ホール・ニュー・ワールド」は、アラジンが魔法の絨毯にジャスミン王女を乗せて空を飛ぶ場面で歌われる。王宮から脱け出した王女が初めて見聞する外部の広さ。恋に落ちた二人が覚える今までにない高揚感。曲名の「まったく新しい世界」は、それらの意味をあわせ持つ。また、ミュージカル『ノートルダムの鐘』の「トップ・オブ・ザ・ワールド　世界の頂上で」は、カジモドが自分の住むノートルダム大聖堂の上層部から見える景色の素晴らしさをエスメラルダに教える歌だ。一連の曲で「世界」は祝福すべき理想の全体性という意味を帯びている。とはいえ、「イッツ・ア・スモール・ワールド」のアトラクションは、世界が地域や民族ごとに分かれていることが、ゾーンごとの展示で表現される。また、王女のジャスミンは、王宮で窮屈な生活を強いられてきた。醜いカジモドは、人目につかぬよう大聖堂の上層に追いやられていたし、「トップ」は世界の頂上であると同時に端っこでもあった。このように「世界」を冠したディズニー楽曲には、悪しき分断や抑圧から善き全体性へという夢想がこめられている。

それらに比べ、「パート・オブ・ユア・ワールド」の「世界」が全体性を意味するかどうかは、微妙かもしれない。同曲は、強権的な父への反発から海上への憧れがつのる過程で歌われる。自分が父の支配する世界の一部であることから脱し、人間の世界の一部に、エリック王子の世界の一部になりたいと願望が吐露される。つまり、海の世界と人間の世界は、分断されているのだ。留意すべきなのは、人間には魂があるが人魚にはないとした『ウンディーネ』由来の『人魚姫』の設定が、『リトル・マーメイド』には受け継がれなかったことだ。アンデルセン童話では、人間になった人魚姫は王子の愛を得られず泡になるが、善行を積めば未来に魂を得られると神の救いが用意された。恋愛に関しては悲劇で終わるが、宗教的な救済が残されていた。『人魚姫』では、海の秩序と人間の秩序に齟齬がありつつ、神の秩序が双方を包含するわけだ。

一方、魂の有無の問題がない『リトル・マーメイド』では、人魚と人間の違いは身体や生活環境、慣習の差に還元される。また、アリエルの尾びれがアースラの魔法によって足に変わっても、『人魚姫』のように痛みを感じはしない。アンデルセン童話では魂のない人魚から魂が宿るべき人間への変化が、秩序を破る越境であり罪深さを伴うものとしてあつかわれた。だから、最終的に人魚姫が救済されるためには、神の力が必要とされた。だが、『リトル・マーメイド』における越境は父の決めた掟を破ることではあっても、そこまでの大ごとではない。物語が終ってふり返れば、人魚から人間への変化は、子どもから大人への成長に関する象徴的表現だったと受けとれるだろう。同作はディズニーらしく紆余曲折の末、二人の恋愛が成就し結婚でハッピーエンドとなる。同時にトリトン王とエリック王子も友好関係となり、人魚と人間の和解で幕となるのだ。分断されていた「世界」が、一つの全体性に至って物語が収まったようにみえる。『人魚姫』の結末で前面化した神の秩序に代わり、『リトル・マーメイド』ではある種の平和外交で

「世界」の新たな秩序が作られる。

ディズニーのアニメ映画は、創始者ウォルト・ディズニーの一九六六年の死去後、一九七〇年代以降は低迷が続いたが、一九八九年公開の『リトル・マーメイド』で復活したとするのが定説であり、それが以後十年間のディズニー・ルネサンスの始まりだったと現在では位置づけられている。同作の成功がなければ『美女と野獣』(一九九一年)、『アラジン』(一九九二年)、『ノートルダムの鐘』(一九九六年)、『塔の上のラプンツェル』(二〇一〇年)、『アナと雪の女王』(二〇一四年)といった作品も生まれなかったかもしれない。

『リトル・マーメイド』は、ディズニーにとって『眠れる森の美女』(一九五九年)以来、三十年ぶりのプリンセスものだった。同作や『白雪姫』(一九三七年)、『シンデレラ』(一九五〇年)などのかつてのプリンセスが、王子に見出され、王子に助けられて幸福を得る受け身の存在だったのに対し、『リトル・マーメイド』は父への反抗など以前よりも能動的な女性像を打ち出したのが特徴である。男性と同様に女性も自分の人生は自分で選択するという平等意識が、やがて近年の作品にみられたポリティカル・コレクトネスやジェンダーを意識した方向性へ発展していく。

ミュージカル仕立ての『リトル・マーメイド』の制作において大きな力を発揮したのは、後に『美女と野獣』も担当した作詞ハワード・アシュマン、作曲アラン・メンケンのコンビだ。二人は音楽だけでなく、ストーリーやキャラクターを固める過程にも深く関与した。アシュマンは、集合した映画のスタッフの前で、アメリカン・ミュージカルとディズニー映画の発展に関し説明したという。

「それは、主人公の女の子が自分の望みを歌う歌、〝I want ソング〟と呼ばれています」。このときアッシュマンは、アメリカンミュージカルと、名作アニメーション映画に共通する重要な哲学について語っていた。「〔それを聴けば〕その映画が一体何についての映画なのか、誰でもわかる。その映画全体を貫くテーマ、克服すべき課題です。それを主人公に歌わせることで、観る人の心に消えずに残るんです」。『マイ・フェア・レディ』のようなミュージカルと『白雪姫』のような古典的なアニメーション映画を結びつけることで、彼は2つのストーリーテリングの媒体を融合させる意義を打ち出してみせた。（『アニメーションの女王たち』）

「パート・オブ・ユア・ワールド」は、『リトル・マーメイド』における"I want ソング"だ。父が娘を海のなか（アンダー・ザ・シー）にいさせようとする一方、本人は地上の王子に魅かれていく。『人魚姫』では、主人公の父が存在しても物語展開にかかわらなかったのと同じく、王子の両親も作中で言及はあっても影が薄かった。それに対し、『リトル・マーメイド』ではエリックの父母はすでに亡くなっており、補佐役の執事グリムズビーが王子に早く結婚するよううながすなどしていた。だが、エリックは執事の助言、お小言はそこそこに聞き、わりと気ままに生きているようにみえる。いい換えると、彼は旧来の父権の教育下から脱し、新世代として新たな決定を下せる地位になりつつある。そうしたエリックの立場をアリエルが事前に知っていたのではないが、彼女が彼に魅かれるのは自然のなりゆきと感じさせる人物配置だ。

エリックは、遭難から自分を助けた女性がいたこととその人の歌声は覚えており、彼女と結婚したい思いがあった。だが、遭難時は意識が朦朧としていたし記憶が定かでない。そのため、人間になったものの声を発せられないアリエルに親しみは覚えても、助けてくれた相手だと認識できない。その隙に魔女アースラがつけこむ。彼女は人間の美女ヴァネッサに化け、アリエルから奪った声で王子を誘惑する。『人魚姫』では、魔女との取り引きで足を得た主人公は、王子から愛されなければ泡となり消える約束だった。『リトル・マーメイド』では、人間になって三日以内にエリックと真実の愛のキスを交わせなければ、アリエルの身柄はアースラのものになる契約だ。アースラは、憎き相手の愛娘を取引材料にしてトリトン王に復讐する計画だった。ヴァネッサに化けたのも、策略の一環である。

人間の世界に憧れる『人魚姫』の主人公には、異性愛をスタンダードとする社会に対しての、同性愛傾向を有するアンデルセンの感情が投影されていた。その種の説を、同性愛者だったアシュマンが意識したか定かではないが、『リトル・マーメイド』にはその意味で興味深い要素があった。上半身は人間、下半身はタコのアースラは、とてもふくよかで紫がかった肌をしており、頭は銀髪、緑色のアイシャドー、真っ赤な口紅を塗った顔は厚化粧で、けばけばしい印象を与える。胸元ではペンダントの大きな宝石も目立っている。このキャラクターのモデルは、『ピンク・フラミンゴ』（一九七二年）などジョン・ウォーターズ監督の映画への出演で知られる巨漢のドラァグ・クイーン（派手な衣装や化粧の女装パフォーマー）、ディヴァインだという。映画でアースラは、アリエルと契約を結ぶ際、「哀れな人々 Poor Unfortunate Souls」を歌う。彼女が誰かと契約して魔法をかけるのは、哀れな魂を救うためであり、自分は過去にひどいこともしたが今では悔い改めたと主張する。ここでアースラは自分の悪意を隠し、相手に信じてもらいたい自己像を主張する。いわば、贋の〝I want ソング〟だ。

面白いのは、足を得る代わりに声を失ってしまったら、王子を相手にどうすればいいのかと問うアリエルへのアースラの返答だ。可愛い顔があればボディ・ランゲージで十分だし、男たちは女のお喋りが好きでなく退屈だと思っている。むしろ陸上で女たちは言葉を発しないほうがいい。そうアドバイスしてそそのかすのだ。着飾ったアースラは、厚化粧や宝石で見てくれのうえでは過剰に女性性を強調しつつ、騙したいアリエルに対しては、控えめで自己主張しない旧来的な女性像を推奨してみせる。だが、内心では、自分を王宮から追い出したトリトン王に対抗心を燃やし、海の支配権を奪取しようと野望を抱いている。女性のアースラは、男性のトリトン王と対等であろうとしているのだ。一方、アリエルは強権的なトリトン王の命令を聞かないし、声を奪われてからもエリックに自分の想いを伝えようと焦燥する。アースラの奸計で王子が危機に陥り、続いて父まで魔女に敗北しようとするが、彼らを助けようと必死に頑張る。激しい展開のなかでアリエルとエリックの愛が本物だと悟ったトリトン王は、人間への敵意を捨て友和の心を持つ。同時に父と娘は和解するのだ。その意味で、失った声をとり戻す前の喋れなかったアリエルも、行動は雄弁だった。『人魚姫』では神による救済が待っていたが、『リトル・マーメイド』では主人公が「世界」における未来を自身で切り拓く。

異類の物語の組み換え

トリトン王への反抗では、アリエルとアースラに共感がみてとれると指摘した。それ以外にも両者には同調性が感じられる。アリエルは恋したゆえに人魚から人間になると決意したが、下半身が鱗に覆われた尾びれから二本足へ変化するのは性的成長の暗喩でもあるだろう。それに対し、アースラの下半身は、八本も足があるタコなのであり、厚化粧とあいまって淫蕩さを想像させる。同時に彼女は、女はおとなしいほうが男から気に入られると、保守的な女性像をアリエルに吹きこむ。アースラ本人は性的に成熟しているという意味で過剰な女性性を帯びているし、男への従順をよしとする旧来の価値観を称揚する面でも過剰な女性性を説いている。したがって、見た目において女性性を過剰に演出するドラァグ・クイーンが、このキャラクターのモデルになったのは当然だ。アースラが提示する二方向の女性性は、女性として今成長しつつあるアリエルのとりうる選択肢だろう。アリエルがエリック王子と結ばれ、父と和解する結末は、アースラの示した二つの女性性、彼女と共有したトリトン王への反抗心をこの魔女との攻防を通し消化／昇華したから実現したといえる。二人は、一種の分身関係なのだ。

ゆえに『リトル・マーメイド』のアニメ映画版でアースラにとどめを刺したのがエリックだったのに対し、二〇〇八年の舞台化でこの魔女はトリトン王の妹だったとする設定が加えられ、彼女を消滅に追いやるのがアリエルへと変更されたのは、トリトン王を挟んだ分身関係という人物配置の意味を強めるものになっており、ふさわしいアレンジだった。

魂なき無邪気な水の精が人間と結婚し魂を得たことで分別くさくなる『ウンディーネ』でもなく、海の秩序から人間の秩序への越境に失敗し神の秩序によって救済される『人魚姫』でもなく、『リトル・マーメイド』は、父の支配に反発する娘が、愛する相手を見つけ親離れする物語だった。アリエル（Ariel）の名はもともと、『人魚姫』の恋に破れ泡になった主人公が、神の救いによって空気の精（Ariel）になったことに由来するという。だが、ディズニー版のアレンジで主人公は、現代の少女に近い感情、感覚を持ったキャラクターに造形され直した。彼女は男性の伴侶に守られるのではなく、自らも相手を助けたのであり、夫婦の立場は対等だ。同作は『ウンディーネ』や『人魚姫』にあった宗教色を薄める一方、ディズニーの昔ながらのプリンセス・ストーリーを女性の自立の物語へ再構築する第一歩となった（ハワード・アシュマンとアラン・メンケンの音楽コンビは『美女と野獣』、『アラジン』も担当)。『人魚姫』では、王子との恋が成就しなかったために主人公が泡になった。一方、『リトル・マーメイド』では、王子と三日以内に真実の愛のキスをしなければアリエルの身柄はアースラのものになる契約だったが、物語がハッピーエンドになるのはキスのおかげではない。彼女の奮闘が王子と父を助け、彼らの心を動かした結果である。若い二人がキスをするのは、そうして結婚の段階に至った時なのだ。

とはいえ、女性主人公の成長物語としては一本の筋を通したものの、トリトン王とエリック王子の友和によって海と陸の和平がなされる結末には疑問が残る。トリトン王は、人間の残酷さとして魚を食べることを指摘したが、その事実は最後まで解消されない。作中では、アリエルのお目つけ役に任じられた蟹のセバスチャンが、人間になった彼女を追って王宮に入りこむ。だが、厨房で魚を切るなど調理中だったシェフが、生きているセバスチャンを食材の一つだと思って追いかけ回す。逃げるセバスチャンと追いかけるシェフのドタバタで厨房がめちゃくちゃになる描写はコミカルだが、それは命がかかった場面だ。ラストでは、娘を許したトリトン王の魔法でアリエルがあらためて人間の体になる。エリックとトリトン王は認めあい、王子と娘の結婚を見届けた父は海へ去る。海と陸の和平交渉が成立したような、その終盤でもシェフはセバスチャンを追いかけていた。平和が約束されたのは同様の上半身を持つ人魚と人間の関係だけであり、その他の海の生物が人間の食材あつかいされるのは変わらないと示唆されている。トリトン王が主張した人間の残酷さは、解消されていない。

また、アリエルがエリックと結ばれるためには、彼女が人間にならなければならない前提は最初から最後まで変わっておらず、ありのままの人魚の自分で受け入れてもらう可能性は、検討されもしない。『リトル・マーメイド』のエンディングは、「世界」の全体性が成立したかのようでありつつ、不整合を含み脆そうな平和だと感じられる。

『リトル・マーメイド』は、ディズニーにとって『眠れる森の美女』以来、三十年ぶりのプリンセス・ストーリーであり、新機軸を打ち出した。その『眠れる森の美女』に対し、ディズニーが二〇一四年に実写映画版のアナザー・ストーリー『マレフィセント』を製作したのは、大胆な試みだった（脚本はアニメ映画『美女と野獣』のリンダ・ウールヴァートン）。シャルル・ペローの童話が原作の『眠れる森の美女』では、ステファン王の生まれたばかりの娘オーロラ姫が、魔女マレフィセントによって十六歳の誕生日に死ぬ呪いをかけられる。王は死の原因になると予告された糸車を国中で焼却するが、呪いは実現しオーロラは長い眠りにつく。だが、彼女が以前に出会い恋に落ちたフィリップ王子がマレフィセント退治にむかい、彼が真実の愛のキスをすることでオーロラは蘇る。王子が女性主人公を救う典型的なプリンセス・ストーリーだ。

それに対し、『マレフィセント』は、悪役（ヴィラン）の視点であらためて前日譚を設けて物語を再構成し、結末が異なっている。人間の王国と妖精の国の対立する二国にそれぞれ属するステファンとマレフィセントが、恋に落ちた。だが、出世への野望に燃えるステファンは、妖精の国で戦闘の中心だったマレフィセントを裏切り、薬で眠らせ彼女の力の源だった翼を切りとる。その功績で彼は王の座を手に入れる。ゆえに真実の愛のキスを信じなくなり魔女と化したマレフィセントが、憎き元恋人の娘オーロラに呪いをかけるのだ。だが、呪いの期日に向け成長していくオーロラを監視するうちにマレフィセントの情が移り始める。彼女自身が、娘を見守る養い親のごとき存在になり、オーロラもなつく。やがて、ステファンと戦ったマレフィセントは窮地に陥るが、オーロラが発見したかつての翼を体にとり戻し、旧敵を死に追いやる。呪いが発効し、オーロラは眠りにつくが、フィリップではなくマレフィセントによる真実の愛のキスで目覚める。オーロラは野望に狂った父よりマレフィセントを親とした。ステファン王が敗れたことで、人間の国と妖精の国は統一される。

『マレフィセント』は、『眠れる森の美女』での善悪の位置づけ、人間関係のありようを組み換えただけでなく、二つの領域の敵対から友和へという展開において『リトル・マーメイド』のヴァリエーションのような内容になっている。異族が人間との婚姻に至る『リトル・マーメイド』の前半で言及されながらも、和平の結末で回収しきれなかった人間の残酷さを、むしろ大きなモチーフにすえて物語を発想している。二種族の関係破綻を物語の起点とし、ヒロインの尾びれが二本足になり同等の姿になることで人間の世界に参入できたアリエルに対し、マレフィセントは翼が切りとられることで人間の姿に近づく。だが、彼女は翼をとり返し、異族そのものに戻った形で人間と和平を結ぶ。人間の残酷さを処理しきれなかった『リトル・マーメイド』とは違い、それを断罪した形で大団円を迎える。『マレフィセント』は、『リトル・マーメイド』の諸要素を逆転させたごとき構造を有するのだ。

水という無意識の領域

『リトル・マーメイド』以後も水の精を主題にした作品は様々な形で登場している。近年の作品で興味深かったのは、現代のドイツで『ウンディーネ』を語り直したクリスティアン・ペッツォールト監督の映画『水を抱く女　Undine』（二〇二〇年）だ。潜水作業員のクリストフがカフェで水槽を壊してしまったのをきっかけに、都市開発を研究する歴史家であるウンディーネと恋愛関係になる。職業をみると、原典とは逆に女が陸、男が水の属性を有し、設定にひねりが加えられている。だが、ウンディーネは、それまでつきあっていた既婚者ヨハネスに別れを告げられたばかりだった。彼女は『ウンディーネ』の物語のように「自分を捨てたらあなたを殺さなければならない」と彼にいっていた。クリストフと交際し始め、幸せを味わうウンディーネにヨハネスが電話をよこし、復縁を呼びかける。彼女は拒否したが、クリストフから元恋人との仲を疑われる。直後、クリストフが水中の事故で脳死状態になってしまう。それを知った彼女は、ヨハネスの家へ行き、彼をプールで溺死させ、自らも沼に沈んで消える。

本作の舞台に選ばれたベルリンは、スラブ語で沼を意味していた。ウンディーネの消滅と引き換えのようにクリストフは目覚める。二年後、新たな伴侶と子どもを得た彼は、潜水作業中にウンディーネの姿を見かけるが、撮影した水中の動画に彼女は映っていなかった。『水を抱く女』は、男女の間で水と陸という互いの属性が浸透しあうような展開に妙味がある。原典は男がどちらの女を選ぶかという三角関係だったのに対し、四角関係が設定され、二人いずれもが嫉妬や迷いを抱き、いわば対等なバランスになったからだろう。

また、男の側に水の属性を付与したという点で特に注目したいのは、ギレルモ・デル・トロ監督『シェイプ・オブ・ウォーター』(二〇一七年)である。同映画は、『大アマゾンの半魚人』(一九五四年。ジャック・アーノルド監督)にインスパイアされ製作されたという。このホラー映画の古典では、アマゾン奥地で調査隊の女性科学者に半魚人が魅了され、つきまとうようになる。周辺人物を襲った半魚人は、一度は捕獲されるものの逃げ出し女性科学者を攫う。だが、最後は銃弾を受け水中に没する。『キング・コング』(一九三三年の映画)に代表される、怪物が美女に恋して破滅する物語の一つである。それに対し、『シェイプ・

オブ・ウォーター』の脚本にもかかわったギレルモ・デル・トロは、半魚人からではなく、女性の方から異族に興味を持ち始めるラヴ・ストーリーへと大胆に再構築した。

アメリカとソ連の冷戦下だった一九六二年が舞台である。アマゾンで生け捕りされた半魚人が、アメリカの航空宇宙研究センターに運びこまれた。異形の生物を軍事利用できないか、密かに研究するためだ。宇宙開発競争に利用する可能性も考えられたが、現場責任者で半魚人にちぎられた手の指二本を縫合してつなげたストリックランドは、生体解剖を進言し上官のホイト元帥の同意を得る。だが、清掃人として部屋を掃除するうちに半魚人と少しずつ交流し、意思疎通するようになったイライザは、彼を逃がす計画を実行する。興味深いのは、首に傷がある彼女は喋ることができないものの、黒人の同僚を相手に使っている手話を半魚人とのコミュニケーションに役立て始めることだ。同作では声を奪われる設定が、海の精ではなく人間に割りふられている。

また、人魚の女性と人間の男性ではなく人間の女性と半魚人の組みあわせは、アンデルセンが『人魚姫』以前に書いた『アウネーテと人魚』の人間の女性と人魚の男性の組みあわせに回帰したようにもみえる。『アウネーテと人魚』は人魚を夫にした女性主人公が、産んだ息子たちを海に残し人間世界に帰郷したゆえに、異類婚の反自然性が神に裁かれる救いのない展開だった。それに対し『人魚姫』は、男女の属性を入れ替え、出産という大人のモチーフを捨象し、異族の少女をめぐる救いのある悲劇にすることで成功し、長く親しまれる童話となった。上半身が人間、下半身が魚の人魚の姿は、尾びれが足になり人間になる変化の可能性をあらかじめ秘めたフォルムであり、まだ少女の主人公が成長の途上にあることの暗喩でもあった。それに対し、イライザは大人の女性であり、彼女の部屋に匿われる半魚人も全身が鱗に覆われている。上半身と下半身が異なり、なにかの変化の途中であるような過渡的な印象を与える体ではない。成熟した二人は、水を満たした部屋で全裸になり抱きあう。『アウネーテと人魚』には出産の要素があり、故郷に戻ったアウネーテを追ってきた人魚は、彼女に子どもたちが寂しがって泣いていると訴えた。人魚とアウネーテの関係は、家族愛のオブラートに包まれていた。だが、出産の要素のない『シェイプ・オブ・ウォーター』は、種族を越えた二人の悦びをあつかい大人の性愛を描いている。

面白いのは、研究センターで半魚人を虐待し、イライザにセクシャルハラスメントをし、彼女の同僚で友だちである黒人女性に人種差別発言をする敵役のストリックランドの性生活だ。彼は、ホイト元帥に命じられた任務が順調に進まない焦燥感を抱えながら妻と子がいる自宅に帰宅し、良き夫、良き父を演じる。妻にそれとなく誘われ性行為におよぶが、その時の彼は下半身だけ裸で上半身は着衣のままである。人魚のフォルムのパロディめいた、過渡的な印象を与える姿だ。また、半魚人のせいで一度切り離された彼の指は、イライザが拾ったおかげで縫合できたが回復せず、壊死して嫌な臭いを放ち始める。しまいには自身で引きちぎらざるをえない。イライザと半魚人が互いに全身で悦びに浸るのと対照的に、ストリックランドの体の不全感が強調される。

彼は上官のホイト元帥から信頼されておらず、半魚人に逃亡されてさらに不興を買い、焦るばかりだ。一方、半魚人への対処方針でストリックランドと対立したホフステテトラー博士は実はソ連のスパイだが、アメリカが生体解剖する前に半魚人を殺せとした上からの命令に納得できず、イライザによる救出計画に協力する。行動を察知された彼は、ソ連の別のスパイに狙われたうえ、ストリックランドに襲われて死ぬ。ストリックランドとホフステテトラーは、国家組織の歯車の一つでしかなく自由がない点で似ているが、それぞれ対立する陣営に属する以上、相容れることはない。しかし、本来は水に棲む半魚人と人間のイライザは、生きる世界も互いの姿も大きく異なるのに平気で境を越え、愛しあう。皮肉な構図だ。

敵国のホフステトラーのほか、障碍者のイライザの半魚人救出計画に協力するのは、同僚の黒人女性、隣人で友人の男性同性愛者である。これまで『大アマゾンの半魚人』のような人間に近づく怪物や、『人魚姫』のような異類婚姻譚における人間の相手は、マジョリティと分断されたマイノリティの暗喩ととらえられてきた。半魚人の立場に理解を示すイライザと仲間たちは、暗喩に包含されたのがどんな人々だったかを示唆する。ディズニーが、アニメ映画だった『リトル・マーメイド』の実写映画化を決め、アリエル役に黒人のハリー・ベイリーを起用すると二〇二〇年に発表した際は大きな話題になったが、好意的な反応ばかりではなかった。そこには、従来は暗喩だったキャラクターを直喩へと顕在化したようなインパクトがあったのだ（実写版『リトル・マーメイド』については終章で触れる）。

『シェイプ・オブ・ウォーター』の半魚人は、驚異的な自己治癒力を持つだけでなく、彼が人間の患部に触れれば急速に回復した。物語の最後で半魚人はストリックランドを撃退するが、イライザは撃たれてしまう。しかし、半魚人はぐったりした彼女とともに運河に飛びこみ、水中で二人が抱きあう光景で物語は閉じる。半魚人の力でイライザが蘇生し、海でともに暮らす未来をほのめかしながら。留意すべきなのは、イライザが住むアパートの部屋が、映画館のすぐ上の階にあったことだろう。彼女は階下からもれる映画の音を聞きながら暮らし、テレビで放映されるミュージカル映画を楽しそうに見ていた。歌うことはできないが、戯れに踊ったりタップをしてみたりするし、半魚人とともにミュージカル映画に出演する幻想シーンもある。そもそもこの作品は、水で満たされ家具が浮遊するイライザの部屋という夢らしき場面からスタートし、目覚め出勤前の支度をする彼女の床の下で映画が上映されている状況がまず伝えられた。精神分析的に読み解くなら、階下における上映は、彼女の意識下の願望を暗喩するものだろう。その意味で半魚人とは、イライザの無意識にあったものの実体化ととらえられるし、ラストの水中で抱きあう二人とは、意識下に沈むことを表現してもいる。

もともと水の精をめぐる物語では、海、川、湖などが人間の無意識を表現してきた面がある。美しい歌声で遭難させるセイレーンの伝説は、危険に満ちた海に対する船乗りの恐怖が投影されキャラクターになったものだろう。人間と出会うことで水の精が人間になるピグマリオン的な物語も、まだ会っていない相手を求める人間の無意識の欲望に具体的な形が与えられるファンタジーととらえられる。『リトル・マーメイド』のエリック王子が乗る船の先には女神像があり、それが実体化したかのようにアリエルが現れた。逆に『人魚姫』では、主人公が美しい少年の像を飾っていた後に王子と出会った。誰かと出会いたい人間の欲望が、出会いたい相手（＝人魚姫のような架空のキャラクター）に内在する欲望として心理が転移した形で表現される。一連の物語は、そうした構造を持ち、水は無意識の場であると同時に鏡となっているのだ。

無意識の氾濫としての水の表現がより顕著な作品としては、宮崎駿監督『崖の上のポニョ』（二〇〇四年）があげられる。同作も水の世界の存在が人間の男性に恋するという骨組みを持つが、成熟した大人同士の関係だった『シェイプ・オブ・ウォーター』とは逆に思春期以前の幼い者同士の関係を主題にしている。海を泳ぐ魚の女の子が空き瓶にはまり動きがとれなくなるが、五歳の保育園児の宗介に助けられた。瓶を割った際にできた彼の傷口の血を舐めたことで、女の子は手足を生やし人間になることが可能になった。彼女は自分をポニョと名づけた宗介が好きになり、父のフジモトに連れ戻された後も彼に会うために戻ってくる。だが、ポニョが不思議な大きな力を有しているため、彼女の来訪と同時に津波が起こり、街が水浸しになってしまう。

脚本も書いた宮崎は人魚に魂がないとしたアンデルセン童話のキリスト教的な考え方を許せないと思い、この物語を発想したという（スタジオジブリ、文春文庫編『ジブリの教科書15　崖の上のポニョ』二〇一七年）。なるほど『崖の上のポニョ』は、万物に魂が宿るアニミズム的世界観で描かれている。また、『崖の上のポニョ』の場合、ポニョの母グランマンマーレが夫のフジモトと比較にならない圧倒的な力を有し、海を司る神的な立場にあるのだ。彼女の存在感の大きさには、アースラを善玉にしたような印象もある。ポニョの起こした津波が命の水を含んでいたためか、車椅子生活だった老人の足腰が立つ珍事も起きた。この点は『シェイプ・オブ・ウォーター』における半魚人の治癒力のような、強い生命力や不老長寿と結びつけられた人魚の諸伝説の要素をとりこんだ形だ。グランマンマーレは騒動を収束させるに際し、宗介とポニョが互いを好きなことをおもんばかり、娘を人間にする魔法をかける。小さな半魚人状態のポニョと宗介は、口がぶつかるようなキスをして、彼女は瞬時に人間に変身するのだ。

幼い二人の「好き」の気持ちは、恋や性愛よりはるか前の未分化な無邪気な状態である。藤岡藤巻とともに当時九歳の大橋のぞみが歌ったテーマ曲「崖の上のポニョ」は、魚の女の子・ポニョがどんな生き物かをコミカルに語っており、「足っていいな　かけちゃお！」の一節があった。ここにはアンデルセン童話の人魚が得た足で歩くたびに激痛に苦しんだこと、アリエルの歩けることへの憧れに父からの自由への希求があったというような複雑な背景はない。ポニョは痛みもなく、父の怒りや嘆きも意識せず、ただ生えてきた足を面白がり、かけっこするだけ。彼女が未分化なのは「好き」の気持ちだけではない。ポニョの情動の盛り上がりと海の波は同調しており、それゆえに嵐を引き起こす。幼い魚の女の子の無意識が、そのまま津波になるのだ。キャラクターとそれが属する自然が分化していない。可愛らしい絵柄で子どもの無邪気さを前面に出し、人々の苦しみや嘆きを描かないので観る側をあまり意識させないが、ここで起きているのは街に大きな被害が生じる大災厄であり、畏怖すべき現象なのだ。

未知とのコンタクト

人間の無意識の暗喩としての海。無意識がキャラクターとして実体化すること。これら二つのモチーフを描いた究極の作品といえば、ポーランドのSF作家スタニスワフ・レムの長編小説『ソラリス』(一九六一年)だろう。惑星ソラリスの海は、人間がいくら研究しても理解できない活動をしている。それは高度に知的な活動であるらしいが、実態がつかめない。その最たるものが、ソラリスの圏域を訪れた人間の意識下にある人物像をコピーして実体化し、人間たちの居住するステーションに送りこむことだ。ステーションで生活する住人が「お客さん」と呼ぶコピーの人間は、その人を記憶していた人間につきまとう。コピーは、ニュートリノの極小レベルまで観察すればようやく差異を見出せるが、生身の人間とほぼ変わらない。だが、記憶に欠落があり、時にとてつもない怪力を発現し、重傷を負っても急速に回復したりする。心理学者の主人公ケルヴィンのもとを訪れたコピーは、過去に愛しあっていたが自殺したハリーだった。その出現に驚き混乱した彼は、彼女を小型船に乗らせ宇宙に射出する。厄介払いしたはずのハリーは再びケルヴィンのもとに現れ、恋人としてふるまい続けるが、自分が宇宙に追い出されたことは覚えておらず、知らないらしい。彼女はケルヴィンと過ごすうちにより人間らしくなり、自主性もみられるようになる。

それに伴い、彼の感情も変化するのだ。

作中にはステーションの研究員が、ハリーについて「おお、海より生まれいでし白きアフロディテよ」（『ソラリス』沼野充義訳）とふざけていう場面もあり、「お客さん」の存在が惑星の海と結びついているこのSF小説が、水の精をめぐる伝統的な物語を変形した構造を持っていることが察せられる。『ソラリス』では、「お客さん」の出現が、海からの好意による贈り物なのか、嫌がらせやある種の攻撃なのかわからないまま、ステーション内にいる人間同士で摩擦が起きる様子が描かれていく。並行して、ソラリスの海に関し科学者たちが繰り広げてきた多くの考察が、擬似論文的に記述される。この小説は、アンドレイ・タルコフスキー監督『惑星ソラリス』（一九七二年）と、スティーヴン・ソダーバーグ監督『ソラリス』（二〇〇二年）で二度映画化されたが、どちらの内容にも原作者レムは批判的だった。二作は、原作の疑似科学的側面より人間ドラマに重点を置いたところが共通する。タルコフスキー版では妻のハリーだけでなく、ケルヴィンの家族を登場させた。終盤では彼が故郷に帰ったかのような光景が映され、カメラが引くとその土地一帯がソラリスの海上に浮かんだコピーだとわかる皮肉な結末が用意された。また、ソダーバーグ版がラヴ・ストーリーとして製作されたことに関し、レムは原作の主題を切り落としたと嫌悪を隠さない。

小説の日本語版に収録された「愛を超えて――訳者解説」で沼野充義が適切に整理した通り、『ソラリス』でレムは「人間中心主義」、「アントロポモルフィズム（人間形態主義）」に対する懐疑を投げかけている。「アントロポモルフィズム」の訳としては、人間ができる理解の範囲で神も人間と同じ姿をしているだろうと考える「神人同形論」の語も使われる。SFには異星文明との初めての出会いを扱ったファースト・コンタクトものの分野があり、『ソラリス』もその一つだ。同作の場合、コピーは人間そっくりだが、それを生み出し高度な知的活動をしている惑星の海は、人間が理解できる範囲からとてつもなくはみ出している。レムはタルコフスキー、ソダーバーグに対し、「お客さん」の到来ばかりに注目する彼らは人間が理解できる範囲にとどまっており、海＝未知とのコンタクトという『ソラリス』の中心の主題を捨てたと批判したわけだ。原作小説では、いくら考察が重ねられても、ソラリスの海は人間にとっていつまでも未知であり、圧倒的に異様なものであり続ける。

『ソラリス』から水の精にまつわる物語の系譜をとらえ直すと、それらでは人間中心主義にもとづく擬人化と未知とのコンタクトが、二重になっていることに気づく。それらは人間の無意識の暗喩にもなりうる。海や川など自然の水は、時に予期せぬ大きな変化で人間を翻弄し、恐怖と魅惑の両面を持つ。人間はそこにある恐怖や魅惑を人間の尺度で擬人化し、セイレーン、ウンディーネ、人魚姫といった異族のキャラクターを生み出してきた。だが、ウンディーネには水の精の一族である伯父のキューレボルンがつきまとい、彼女の周囲で水にまつわる怪異が続発した。人魚姫の場合、海の秩序から脱け出した彼女が人間の秩序に適合せず、両者を包含する神の秩序のもとでようやく救済された。『リトル・マーメイド』では、人魚の一族と王家が友和に至っても、海と人間の対立がすべて解消したのではなかった。たとえ水の精や人魚が人間になっても、なりきれないことがあるし、生まれ故郷であり結びつきを断ち切れない海が、人間の論理にすべて回収されることはない。人間に理解しきれない余剰、脅威が必ず残る。

水の精や人魚にまつわる物語は、主人公の男女の仲が一定の形に収束しても、周囲の水のざわめきが完全に静まることはない。『ソラリス』が指し示したように水の精にまつわる物語は、擬人化されたキャラクターとの出会いと、それを生み出した未知の領域とのコンタクトという二重性を帯びる。『美女と野獣』

の孤独な野獣の王子は、もともとそうだった人間の姿に戻るだけであり、水の精にまつわるような余剰は残らない。同作のディズニー版では城の召使いたちまで道具の姿にされてしまうが、魔法が解ければ彼らはすべて人間になった。しかし、ウンディーネやアリエルが陸で人間になっても、彼女たちの一族や友だちは水の住人であり続け、人間にはとらえきれない自然の未知があることを示唆するのだ。このことは、覚えておきたい。

作品リスト

［小説］

フケー『ウンディーネ』1811年

［童話］

アンデルセン『人魚姫』1837年

［戯曲］

ジロドゥ『オンディーヌ』1939年

［映画］

ジョン・マスカー、ロン・クレメンツ監督『リトル・マーメイド』（アニメ）1989年
出演：ジョディ・ベンソン、サミュエル・E・ライト

ロブ・マーシャル監督『リトル・マーメイド』2023年
出演：ハリー・ベイリー、メリッサ・マッカーシー

クリスティアン・ペツォールト監督『水を抱く女』2020年
出演：パウラ・ベーア、フランツ・ロゴフスキ

［ミュージカル］

アラン・メンケン作曲、ハワード・アシュマン＋グレン・スレーター作詞
『リトル・マーメイド』2008年

［関連作品］

映画

ロバート・ストロンバーグ監督『マレフィセント』2014年
出演：アンジェリーナ・ジョリー、エル・ファニング

ギレルモ・デル・トロ監督『シェイプ・オブ・ウォーター』2017年
出演：サリー・ホーキンス、マイケル・シャノン

ジャック・アーノルド監督『大アマゾンの半魚人』1954年
出演：リチャード・カールソン、ジュリー・アダムス

宮崎駿監督『崖の上のポニョ』（アニメ）2004年
出演：山口智子、長嶋一茂

小説

スタニスワフ・レム『ソラリス』1961年

映画

アンドレイ・タルコフスキー監督『惑星ソラリス』1972年
出演：ドナタス・バニオニス、ナタリヤ・ボンダルチュク

スティーヴン・ソダーバーグ監督『ソラリス』2002年
出演：ジョージ・クルーニー、ナターシャ・マケルホーン

第五章　異能　暴走――『雪の女王』／『アナと雪の女王』

王家に生まれたエルサは、子どもの頃から雪や氷を発生させる魔法の力を持っていた。だが、それをコントロールできず妹のアナを傷つけたため、城の部屋のなかで育つ。成長したエルサが王になる戴冠式の日に力は暴走し、夏だった国全体を凍らせてしまう。彼女は一人で出ていき、山中で自分の作った氷の城に閉じこもる。姉を呼び戻すべく、アナはあとを追う。

アンビバレントな感情を抱くエルサ

右の文章は、ディズニーのアニメ映画『アナと雪の女王』(二〇一三年)のストーリーである。同作は、ハンス・クリスチャン・アンデルセンの童話『雪の女王』(一八四四年)から着想を得たものの、アレンジされていた。原作からの改変の程度は、『美女と野獣』や『リトル・マーメイド』を大幅に上回る。

少年カイと少女ゲルダは、いい友だちだった。だが、悪魔の鏡の破片が、カイの眼と心臓に刺さる。それが原因で思いやりのない冷たい性格に変わった彼を、雪の女王が連れ去ってしまう。ゲルダはカイを探す旅に出る。これが『雪の女王』のあらすじだ。かつては仲良しだったのに性格が変わり、物理的にも遠くへ去った相手を探し、冒険の旅に出る。この大枠は、『雪の女王』と『アナと雪の女王』に共通する。

だが、カイとゲルダが男女の友だちだったのとは異なり、エルサとアナは姉妹である。また、『雪の女王』では悪魔の鏡の破片がカイに刺さるのに対し、『アナと雪の女王』では成長したエルサの力が幼い時以上に暴走し、それによって生じた氷のかけらが刺さってアナは衰弱し、やがて凍りつく。だが、エルサが抱きついて泣くと、アナの体は温かみをとりもどし、息を吹き返す。この結末は、カイの心を冷たくさせた内なる氷のかたまり＝悪魔の鏡のかけらが、ゲルダの抱擁と涙で流されてもとに戻る『雪の女王』の結末を踏襲している。愛する相手を探す旅、体に刺さったかけら、抱擁による体の解凍と二人の関係回復といった要素を、『アナと雪の女王』は『雪の女王』から受け継いでいる。

ただ、諸要素は、かなり組み換えられたわけだ。カイとゲルダという男女の友だちはエルサとアナの姉妹へ。悪魔や雪の女王という明確な悪役から、善意があっても力を制御できないため悪しき現象を起こす両義的な存在のエルサへ。『アナと雪の女王』では、追う者と追われる者を幼なじみから血縁へと間柄を近くすると同時に、二人の関係をより相補的にしている。ゲルダは探す側であり、カイを救うのも彼女だ。それに対し、『アナと雪の女王』もアナを探す側として物語は始まるが、姉妹は対立の段階を経て、終盤では救いあう。それは、カイが雪の女王に操られる存在であったのに比べ、エルサがいわば遠くへ行ったカイと災いを起こす雪の女王を融合した役回りになっており、救われるべき善意のキャラクターであると同時に、鎮められるべき魔力の持主であるためだ。アナもまた、ただ善意の人なのではなく、軽率なために災厄を呼ぶ困った面がある。それぞれ余剰と欠如のある姉妹は、互いに補わなければならない。カイとゲルダの関係は単純なものだったが、エルサとアナの関係は複雑さを含むのだ。

ディズニーでは一九三九年に実写とアニメーションを組みあわせた形でのアンデルセンの伝記映画が企画され、作中に『雪の女王』を組みこむことが想定された。だが、それは実現せず、一九七七年にディズニーランドにおける夏のライド系アトラクションとして『雪の女王』が浮上したが、その計画も流れた。また、一九九〇年代半ばには悪役のエルサが貧しい農民アナの心を凍らせる設定の映画が検討されたという（『アニメーションの女王たち』）。以上のような経緯もありつつ、『シュガー・ラッシュ』（二〇一二年）を手がけたジェニファー・リーが脚本を執筆し、彼女がクリス・バックと共同で監督を務めたのが『アナと雪の女王』だった。ディズニーの長編映画では初めての女性の監督だった。ディズニー映画になるまで紆余曲折があったわけだが、理由の一つは、アンデルセン『雪の女王』が「七つのお話からできている物語」の副題の通り、エピソードの羅列的構成であるためだろう。カイを探し旅するゲルダが、行く先々で様々な人と出会う展開が散漫に感じられるうえ、冒頭の悪魔と本編における雪の女王の二種類の悪役が出てくるのに、カイとゲルダの再会場面にはどちらも登場しないため存在感が薄い。物語の焦点がはっきりせず、全体的にぼやけた印象になっている。

とはいえ、『人魚姫』など他の有名なアンデルセン童話と同じく、『雪の女王』も過去にしばしば映像化されてきた。一九五七年のソ連版『雪の女王』（レフ・アタマーノフ監督）は原作に比較的忠実だったが、悪魔は登場させず悪役を雪の女王に一本化した。同映画は宮崎駿監督に影響を与えたことで知られるが、それ以上に興味深いのは『アナと雪の女王』より一年早い二〇一二年に公開され、同作と制作期間が一部重なっていたと考えられるロシア版『雪の女王』（ヴラドレン・バルベ、マキシム・スペシニコフ共同監督）だ。

アンデルセンの原作では隣家に住む幼なじみ的な間柄にすぎなかったカイとゲルダを兄妹に設定した点は、『アナと雪の女王』の姉妹の設定に先行する。また、町中を凍らせる雪の女王の力の強調も、エルサが自分の国を冬にすることと重なる。さらに『アナと雪の女王』では姉妹の父母が海難事故で死亡したのに対し、ロシア版では兄妹の父母は対立した雪の女王によって死に追いやられる。どちらの映画も、親を亡くした子どもたちの孤独と、残された二人の血縁の結びつきをクローズアップするのだ。アンデルセン童話と同様にロシア版でもカイは雪の女王にさらわれる。だが、彼女は、かつていじめられたことが原因で「私を嫌う者は氷になれ」と怨み、邪悪な雪の女王になったとされる。同情すべきところもあるキャラクターなのだ。彼女の過去を知ったゲルダが抱きしめることで、雪の女王の凍っていた心は溶かされて呪いが解け、ハッピーエンドへむかう。主人公二人の結びつきを焦点化することでエピソードの羅列だった童話のストーリーに統一感を与えるとともに、作中世界を冬にするスペクタクル性が、娯楽作品としての魅力を高める。そうした脚色の方向性が『アナと雪の女王』と共通する。

ただ、ロシア版は、雪の女王を邪悪なだけでなく哀れでもある存在に造形したとはいえ、原作と同じく善良なカイを隷属させる者として彼女を描いた。また、父母の死後、カイとゲルダは離れ離れだったが再会し二人が兄妹と知ってからは、カイが雪の女王にさらわれた後も互いの情が薄れることなく、一緒にいられることを望む。それが彼らの行動の動機になる。だが、『アナと雪の女王』の姉妹は、先に触れた通り、複雑な関係だ。同作では原作のカイと雪の女王を融合するようにして姉のエルサが造形された。彼女は力の暴走により、亡き父王から自分が王位を継いだアレンデール王国を雪と氷に覆われた状態にしてしまう。意図せずとも国民を苦しめることになったエルサは、悪役的存在になるのだ。

一人で雪深い山へ赴き、自らの力で建てた氷の城に閉じこもる姉を心配し、妹のアナが追いかけてくる。だが、エルサは力で攻撃し、追い返す。姉妹は子どもの頃、仲がよかったものの、エルサの雪や氷を生む力を使って二人で遊ぶうちにそれが暴発して妹を直撃し、瀕死の状態にした過去があった。両親はエルサを城の部屋に閉じこめ、力をコントロールする術を身に着けさせようとした。彼女自身も懸命に覚えようとし、両手から放たれる力を封印するために手袋をはめていたのだ。それでも力が暴発した彼女は、誰もいない場所へ行き一人で暮らすしかない、そこなら自分の力を思う存分解き放つことができると考えた。エルサは妹を嫌ったわけではない。子どもの頃に仲がよかったことも覚えている。だが、幼い妹を傷つけた経験はトラウマとなり、それを繰り返したくないため、アナが近づけないように拒絶し、攻撃的な態度に出る。その結果、自身のさらなる暴発でむしろ幼少時に与えた以上のダメージをアナに与え、やがて妹が凍りつく原因を作ってしまう。

体に無数の針が生えているため、互いの体を寄せあおうとしても相手を傷つけるから近づけない。そんなヤマアラシのジレンマをエルサは抱えている。だが、アナは、幼少期にエルサから傷つけられた記憶を失っており、姉が部屋に閉じこもり自分の遊びの誘いをはねのけ続けてからも、相手を嫌いになってはいない。妹は社交的な性格で、姉のごときヤマアラシのジレンマは抱えていない。したがって、妹を思いやっているのに彼女を遠ざける姉のふるまいは、独り相撲の様相を呈する。そのアンビバレントな態度は、彼女が無意識のうちに魔法の力で生み出した人語を話す雪だるまのキャラクター、オラフのあり方と対照的に感じられる。オラフは、まだ姉妹が無邪気に一緒に遊んでいた幼少期に、エルサが魔法で生んだ雪だるまの再現だ。彼女が王国を離れ、一人で山へ登る場面で世界的ヒット曲となった「レット・イット・ゴー」が歌われる。その冒頭でエルサの力によって雪だるまが出現する様子が一瞬映る。だが、以後の雪だるまは彼女が関与しなくてもそれは自立して行動し、山中で出会ったアナの協力者となるのだ。

興味深いのは、雪だるまのオラフが、ハグが大好きで夏に憧れていること。温かい体と接するハグも陽射しが強い夏も、雪でできた彼の体を溶かす危険なものだし、普通に考えればその憧れは挫折せざるをえない。意図しなくても雪や氷を作り出すエルサと、雪からできているオラフは、いずれも冷たさに閉じこめられた存在だ。エルサの場合、相手に近づきたくても、そうすれば相手を傷つけてしまうから遠ざかる。一方、オラフの場合、自分が溶けるかもしれないのに温かいものに近づきたがる。エルサが無意識に生み出したオラフには、彼女が抑圧した自身の願望が乗り移ったようにみえる。幼少期に自らの力でアナを傷つけて以来、部屋のなかで暮らし続けたエルサは、妹が「雪だるま作ろう」と遊びに誘っても拒絶して扉を開けなかった。だが、成長した後、山奥で孤独に生きると決めた姉は、妹の助力者となる雪だるまを意図せず生み出した。エルサのアンビバレントな性格は、ポジネガ反転した形でオラフに受け継がれ、その存在の不安定さが夏に憧れる雪だるまという形で発現したといえる。

アンデルセンは、凍てつく冬の屋外にいる雪だるまが、窓越しに見た地下室内で赤い炎を踊らせているストーブに恋をする「雪だるま」(一八六一年)というお伽話も書いていた。やがて冬の終わりが近づき、暖かくなり溶けた雪だるまのなかからストーブの火かき棒が現れ、それが彼がストーブに恋した理由だとオチがつく。『アナと雪の女王』のオラフは、同作をアレンジした存在だと想像される。

無自覚な姉妹側と自覚的な敵役

エルサは、魔法の力でオラフ以外にもキャラクターを出現させる。氷の城を訪れて彼女を連れ戻そうとしたり捕らえようとしたりする人々を、排除するために動くマシュマロウだ。その雪の巨人は、エルサの意のままに相手を攻撃するのであり、自立して行動するオラフとは存在のあり方が違う。戴冠式で亡父から王位を継いだとはいえ、力を暴走させたエルサは国民の信頼を得られず、逆に恐怖の対象となった。当然、彼女を慕う家臣はおらず、使役できるのはマシュマロウだけなのだ。

しかし、王族でありながら王国で孤立するのは、エルサだけだろうか。子ども時代に力を暴走させて以後、彼女は部屋に閉じこもった生活をしていた。自身の特殊性を自覚させて隠させ、力をコントロール可能にさせることが父王の教育方針だった。それだけでなく彼は、長女の特殊性を他に知られないために城の門を閉ざし、外部との接触を厳しく制限したのだ。ディズニーのアニメ映画をふり返れば、コンプレックスを植えつけられ、社交性を獲得しないまま大人になった点は、『ノートルダムの鐘』でカジモドがクロード・フロロの偏った教育を受けた境遇に通じる。城を外部に対し閉じる父王の方針は、妹アナにもおよんだ。彼女も城内は自由に歩けたとはいえ、外の社会を知らないまま成長するしかなかった。父母が海難事故で死亡してからも、エルサの戴冠式にあわせて城の門が開かれるまでは、彼女の部屋と城の二重の閉鎖性は持続されたように描かれている。国王夫妻の死に伴い王位が空席だった期間も、アレンデール王国は他国に攻められることなく、平和を維持したらしい。エルサの戴冠式には、外交や貿易の相手国から客人が多数訪れるし、国王不在の国家を切り盛りする立派な家臣がいて、遺された姉妹を守っていたのだろう。

ところが、『美女と野獣』でわがままな王子の面倒をみる家臣たちが個性豊かなキャラクターとして登場したのとは異なり、『アナと雪の女王』では家臣の影が薄い。名前がつけられているのは、アナとエルサの召使いであるカイとゲルダ（アンデルセン童話『雪の女王』にちなむ）くらいであり、ストーリー展開にかかわるほどのキャラクターは家臣にはいない。姉の戴冠式の日が訪れ、城の門が開かれるのを喜ぶアナは、城内にある絵画のなかの人物に話しかけ、甲冑や頭像と戯れる。『ノートルダムの鐘』のカジモドは、ガーゴイルを友だちにして育ったが、石像であるはずの彼らが話し、動くのは妄想なのか、超自然現象なのか、作中では曖昧にされていた。『美女と野獣』では王子が野獣になるのと同時に、家臣が道具の姿になって生き続けた超自然現象に近いあつかいだった。それに対し、アナの前の絵画や甲冑、頭像はただのモノでしかない。アレンデール家では姉だけが孤独だったのではなく、妹も自分と同世代の友だちを持たないまま育ったのだろう。それが、彼女の弱点である。エルサが後に無意識のままに作りだしたオラフが、アナの助力者となり友だちとなったのは、妹を寂しくさせてしまった姉による一種の償いだったのかもしれない。

アナは明るく人懐こい性格であり、戴冠式の社交デビューの日に初対面だったサザンアイルズ王国のハンス王子とすぐ恋に落ち、彼のプロポーズに応じる。アナからその報告を受けたエルサは結婚を認めず、二人がいい争いになった果てに姉は力を暴走させて氷を出現させ、周囲の人々から怪物あつかいされる。彼女が山奥へこもることにした原因である。世間知らずで男性への免疫がないアナは、王家の子であっても周囲が兄たちばかり気にかける状況で孤独だったと話すハンスに共感し、二人の共通点をいくつも数えあげ、一気に好意が増していった。それに対し、会ってすぐ婚約する無謀さを指摘し妹を指導しようとする姉は、常識を教養としては知っており家族の長として王らしい態度をとったといえる。ただ、戴冠式の日まで妹との対話を長く拒み続け、恋愛どころか社交もせず一人で過ごしてきた姉がそれをいっても説得力はない。姉妹は、喧嘩せざるをえない。自分が怒らせたせいでエルサが城から去り、同時にアレンデールが季節はずれの雪と氷で覆われたことにアナは責任を感じ、姉を連れ戻すために追いかけることにする。その際、彼女は、王族姉妹が不在となる間の王国を家臣に任せるのではなく、他国の王子であるハンスに託す。姉の叱責にもかかわらず、自分の婚約者であることを根拠にそうするのであり、家臣も従う。しかし、それが後半の災いの種となる。

『ノートルダムの鐘』では、大聖堂の鐘楼で孤独に暮らしてきたカジモドが道化の祭りに出かけ、慣れない外の世界でひどい目に遭う。彼は自分に優しくしてくれた「ジプシー」のエスメラルダに恋をする。一方、自分の行動のためにエルサがいなくなり母国が厳寒の危機に陥ったアナは、姉を探す冒険の旅で出会い助力者になったクリストフと最初はぎくしゃくするが、次第に親しくなる。辺境の山に暮らし街で氷を売って暮らす彼は、アレンデールを氷漬けにしたエルサの魔法の被害をダイレクトに受ける人物だ。また、社会の周縁で生きている点ではエスメラルダと立場が近く、アナとは身分が違う。とはいえ、彼はハンスよりもアナの恋の相手にふさわしいと、やがてわかってくるのだが、このクリストフも王家の姉妹と同様に両親を亡くし友だちがいない人物である。彼はトナカイのスヴェンと一緒に行動し、その相棒の心の言葉を腹話術的に代弁し、一人二役で会話するのが日常になっている。絵画や甲冑、頭像に話しかけたアナと同様に寂しがり屋だし、彼女はハンスだけでなく、クリストフとも似ているのだ。

ただ、クリストフには人間の友だちはいなかったものの、彼を気にかけ家族のように接してきたトロール（北欧の妖精）とは仲がいい。かつて、エルサの力の暴発でアナが瀕死の状態になった時、姉妹の父母はトロールたちに助けを求めた。彼らはアナの命を救うとともに、彼女から姉の力による事故の記憶を消去した。ゆえに、姉は覚えているが妹は忘れたという記憶の不均衡が二人の距離を遠ざけることにもなったが、まだ少年だったクリストフは王家の親子とトロールたちが会ったその場面をたまたま目撃していたのだ。このことも、彼が成長したアナの助力者となり、やがて恋仲になる一因となる。興味深いのは、エルサ、アナ、クリストフと主要人物の多くが孤独に育ち、人づきあいのしかたをよくわかっていないのに対し、トロールが常に仲のよい家族的集団として現れることだ。

彼らは、表面に苔の生えた丸い石のごとき形状でコロコロ転がってきたかと思えば、そこから頭と手足を伸ばし、人型の姿を現す。自然のモノのようでいて言葉を話すキャラクターであるのは、子どもみたいな魂を持つ雪だるまのオラフ、思っていることを飼い主のクリストフが腹話術で代弁するトナカイのスヴェンと近い。主人公を助ける役回りであるのは、『美女と野獣』の道具になった家臣たち、『ノートルダムの鐘』のガーゴイルと同じだが、彼らは自ら話し行動するキャラクターであることと、動かないモノであることの間で不安定な存在だった。頭、体、両足が複数の雪の塊からできており、両手が枝、鼻がニンジンのオラフも、ことあるごとに体がバラバラになり、温かくなれば溶けてしまう。だが、トロールたちにはその種の不安定さはなく、孤独でもない。エルサ、アナ、クリストフなどに比べると、バランスのとれた存在なのだ。

一方、出会ったばかりのアナとすぐに婚約し、彼女が姉を追いかけ城から出た後の王国を任されたハンスは、実はアレンデールの王位を簒奪し国を乗っ取ろうとしていた。終盤で彼は本心を露わにし、姉妹を亡き者にしようとする。王子がプリンセスを救って真実の愛で結ばれるという、従来のディズニー映画の定型を破り、本当は野望を抱え相手を騙す悪役として王子を描く逆転劇が『アナと雪の女王』の特徴だった。魔法の力のせいで大勢から怪物あつかいされたエルサの氷の城に攻めこみ、彼女を捕まえたハンスは英雄的な行為をしたようにみえる。王位を継ぐのがふさわしいと思えるほどに。だが、実態は違った。もともとハンスは、サザンアイルズ王国の第十三王子と設定されており、キリスト教における忌み数でイエス・キリストを裏切ったユダを連想させる数字でもある十三を背負っていた。エルサは、他人に近づきたくとも近づけないヤマアラシのジレンマに陥っている。アナは、人懐こいが世間知らずで他人を疑うことを知らない。クリストフは、相棒のトナカイを代弁する一人二役で孤独をまぎらわしている。彼らはいずれも、自身のコミュニケーション能力の脆弱さに無自覚だ。それに対しハンスは、内に秘めた野望のために誠実そうで優しそうな外面を自覚的に作っている。だから姉妹やクリストフにとって脅威の敵となる。

閉ざす扉、開ける扉

『アナと雪の女王』では、氷の城でエルサの暴走した力がアナの胸を直撃し、幼少時に与えた以上のダメージを与えてしまう。アナを連れ逃げたクリストフは、子どもの頃の彼女を救ったトロールに助けを求める。だが、心臓に魔法の氷のかけらが刺さっており、やがて体が凍るアナを救えるのは真実の愛だけだと教えられる。このため、クリストフは自身のアナへの恋心を押し殺し、彼女の婚約者ハンスがいるアレンデールの城へ送り届ける。『美女と野獣』がそうだったように、真実の愛のキスが呪いを解くと期待させる展開だ。しかし、婚約が野望のための策略でしかなく本当の愛などないハンスは、アナへのキスを拒否する。本当に彼女を愛しているのはクリストフだとオラフから教えられたアナは、彼のもとへ行こうとする。だが、その姿を見つけたと同時に、ハンスがエルサに剣を振りおろそうとするのを目撃するのだ。姉をかばい婚約者だった男の前に割って入った妹の体はその瞬間に凍りつき、当たった剣は砕け散り、ハンスは弾き飛ばされる。エルサは、身を挺して自分を守ったアナの凍った体にすがりつき、涙を流す。すると、体は温かみを回復し、姉妹は抱きあって喜ぶ。間もなく周囲に暖かさが広がり、雪と氷に覆われていたアレンデールに夏が戻る。この顚末は、愛を知れば魔法の力をコントロールできると示している。

『アナと雪の女王』はそれまでのディズニー映画と同様に、男女間の真実の愛のキスが災いを終結させると思わせつつ話が進む。また過去の作品の王子や王女は、たとえ異形の姿で登場しても最終的には人間として美しい姿を見せて幸せをつかんだのだ。『美女と野獣』の野獣や『リトル・マーメイド』のアリエルがそうだったように。ところが、『アナと雪の女王』では、アナと愛の言葉を交わした王子ハンスが、実は嘘つきの野心家だったとわかる。変身の意味がまるで違う。また、従来のディズニーの方程式であれば、『塔の上のラプンツェル』（二〇一〇年）で老婆の養女として育ったラプンツェルが実は王家の娘であり、彼女が泥棒のフリン・ライダーと結ばれたような身分違いの恋が、ハンスの裏切り判明後にアナとクリストフの間で展開しそうなものだ。ところが、二人の恋はいったん棚上げされ、終盤ではエルサとアナの関係がクローズアップされる。

『アナと雪の女王』で描かれる真実の愛とは、姉妹愛なのだ。『美女と野獣』ではベルが野獣にいい返し、ディズニーで初めてプリンセスがプリンスに怒鳴った作品となったが、『アナと雪の女王』では凍った状態から蘇生したアナが、ハンスの顔の真ん中にパンチを入れて海に落とし、彼は拘束され祖国に返される。相手が悪役とはいえ、ディズニーのプリンセスがプリンスを殴るのは珍しい。ディズニー史上初のダブル・プリンセスの設定で作られた同作は、メインテーマとなる愛が男女間のものではなかったことや、ポリティカル・コレクトネスを視野に入れジェンダーやマイノリティを意識するようになった同社の作品傾向から、映画の公開後は姉妹の関係をレズビアンの暗喩と解釈するむきもあった。アナについては、ハンスやクリストフに魅かれる様子が描かれ異性愛者だと表現されている。だが、エルサと男性の関係は語られず、彼女が心を動かされるのは妹に対してだけだからだ。作中では姉妹愛以上にはあつかわれておらず、同性愛とみるのは拡大解釈だろうが、否定しきることもできない見方である。
ハンスは嘘つきであり、アナの真実の愛はクリストフに先んじてエルサとの間で成立する。このどんでん返しを知ってから物語をふり返ると、エルサの異様さが、まず姉妹であるアナとの対比で際立っていたことにあらためて気づく。雪や氷を生み出す力を持つエルサは寒さなど平気だが、姉のような力がないアナは、魔法の氷のかけらが体に刺さると凍えて衰弱する。同じ父母から生まれたのに、二人は違っているのだ。姉妹の差は、エルサが山へ一人で登り、それまで隠そうとしてきた力を全開にして氷の城を建てる場面で歌った「レット・イット・ゴー」に象徴的に現れていた。以下に詞を抜粋する。

白く輝く雪が山を覆う今夜
足跡は見えなくなった
孤立した王国で
私は女王になるらしい
風は吠える　心の内で渦巻く嵐のごとく
自分を抑えられなかった　私が努力したと神は知っているはず
誰も入れてはいけない　誰にも見られてはいけない
いつもいい娘でいなくてはいけない
隠しなさい　感じてはだめ　誰にも知られてはいけない
でも　今ではみんなが知っている

あるがままでいい　あるがままでいい
もう我慢などできない
あるがままでいい　あるがままでいい
背を向け　ドアを閉めよう

私の力は宙を駆け抜け大地に至る
私の魂が周りの凍ったフラクタルを巻きあげる
一つの思いが氷の爆風のように結晶になる
私はもう決して戻らない　過去は過去のなかに

あるがままでいい　あるがままでいい
私は夜明けのように立ち上がるだろう
あるがままでいい　あるがままでいい
あの完璧な娘はもういない
私はここに立っている　日の光のなかで
嵐よ吹き荒れろ
寒さなんてもとから平気

（クリステン・アンダーソン＝ロペス＋ロバート・ロペス作詞作曲「レット・イット・ゴー」。筆者訳）

日本語版でエルサ役だった松たか子が歌った同曲の邦題は「レット・イット・ゴー　ありのままで」とされていた。「Let it go」をそう訳すことも可能だが、エルサの状況や感情からすると「なるようになれ」というニュアンスが強いし、戴冠式の日まで必死に隠してきた魔法の力を解き放っていい、もう自由だと自分を鼓舞する歌でもある。これが同作で主人公の願望が表明された「I want ソング」だ。アナとの対比で注目すべきは、「レット・イット・ゴー／背を向け　ドアを閉めよう（Turn away and slam the door）」という部分である。その詞は曲前半で歌われ（映像を確認すると直前にオラフとなる雪だるまを生み出している）、続いてエルサはフルパワーで氷の華麗な城を建てる。一人で住むには大きすぎる城が完成し「寒さなんてもとから平気」と最後の一節を歌った瞬間、エルサは扉を閉ざす。前半で歌った「背を向け　ドアを閉めよう」そのままの行動をするのだ。エルサの力は手の先から放たれるため、戴冠式の日まで彼女はそれを封印するための手袋をしていたが、山を登り始めた時点で脱ぎ捨てた。自ら封印を解き、もう「あるがままでいい」と決心したわけだ。しかし、「レット・イット・ゴー」の最後で扉を閉ざすのは、自分を氷の城に封印する態度に思える。『アナと雪の女王』はミュージカル化され二〇一七年の試験興行を経て二〇一八年から上演されているが、舞台では曲を増やす一方、二部構成で第一部を「レット・イット・ゴー」で締めくくる形にされた。そこでは曲の終わりで扉を閉める代わりに暗転することで、自らが建てた氷の城の内部にいるエルサが外部をシャットアウトする決意であることが示された。

一方、エルサの特殊能力を隠すため外部に対し閉ざされ続けていたアレンデールの城は、戴冠式の日には客を迎えるために窓、扉、門が開かれた。その解放感を喜び、自分は孤独ではなくなる、素敵な男性との出会いがあるかもしれないと絵画や甲冑、頭像と戯れながらアナが歌ったのが、「生まれてはじめて For the First Time in Forever」だった。その浮かれ気分の延長で彼女がその日に初対面だったハンス王子と恋に落ちるデュエットは「扉開けて Love Is an Open Door」と題されていた。アナは「愛とは扉を開けること」だと思っており、心を開いてできた隙に悪辣なハンスが入りこむ結果となる。それに対し、戴冠式直前にアナが歌う「生まれてはじめて」には、エルサが父の肖像画とむきあい、「誰も入れてはいけない誰にも見られてはいけない／いつもいい娘でいなくてはいけない」と後に全体が披露される「レット・イット・ゴー」の一部を歌うシーンが挿入された。否定形を重ね、自身にいい聞かせる彼女は、招待客の前で戴冠しなければならず、部屋の扉を開けて外に出なければならないが、持っている異能は隠し続けなければいけないと強く自覚している。自室にこもっていたそれまでと意識を変えぬまま、心の扉を閉めたまま、大勢の他人と対面せざるをえなかったのだ。

ハンスと拙速に婚約したアナと、国王として慎重であろうとするエルサが衝突するのは、扉をめぐる開閉の感覚の違いからしても必然だった。そもそもエルサが部屋に引きこもって以降の二人の距離感は、アナが扉の外から室内の姉に呼びかける「雪だるまつくろう Do You Want To Build A Snowman?」で歌われていた。扉をノックする音から始まる同曲が歌われる間に年月は過ぎ、二人とも歳を重ねる。だが、アナがいくら誘っても頼んでもエルサが扉を開けて妹と会うことはなかった。それは、姉妹を隔てる扉という主題を早くから印象づける曲だった。姉は妹の気持ちに応えないままでありながら、戴冠式という国家の決まり事に縛られてしかたなく出てきたのである。映画の歌唱曲は、クリステン・アンダーソン＝ロペスとロバート・ロペスが作詞・作曲しており(その他スコアの作曲はクリストフ・ベック)、楽曲相互が有機的に関係するように計算されている。そのなかで扉は重要なモチーフとして姉妹の歌唱曲に影を落とす。

「生まれてはじめて」でアナは城内の絵画、甲冑、頭像にいわば手あたり次第に話しかけるのに比べ、エルサは父の肖像とむきあうという姉妹の対比は、王位の継承を義務づけられた姉のほうがより家父長制の抑圧を被っていることをあらわす。持てる力を人前で使うなと亡き父から命じられていたのに暴発して失敗し、もうどうにでもなれと王国から離れ、パワー全開で自身の城を建てる。「レット・イット・ゴー」のその場面に家父長制からの脱却や女性解放を読みとる解釈もあるが、エルサの行動は両義的だろう。もはや父の教えに従わず、自分の力を存分に発揮する彼女は、自由で解放されたようだが、新たな城の扉を閉ざし一人でいようとするのだ。それは、アレンデールの城の自室に引きこもっていたあり方を、規模を大きくして再現しただけではないのか。エルサは、女性を抑圧する家父長制により設けられたガラスの天井を破る力があるようでいて、自らを氷の天井で囲う。氷や雪を作り出す彼女は身体的には「寒さなんてもとから平気」だろうが、一人で寂しくないとは思えないし、その姿は痛々しく寒々しい。

開けっ広げすぎたアナはハンスに裏切られ、身分の違うクリストフとの愛に気づくことで、またエルサは妹との真実の愛を知り、閉ざしていた心を開くことで、二人とも以前より大人になる。物語の最後では、夏が戻ったアレンデールでエルサがスケートリンクを出現させるなどして国民を楽しませる。身分に関係なく人々が平和に交流する光景を見て、アナは「門が開いてるって、いいよね」と城が開放的になったことを喜ぶ。エルサも「もう二度と閉じないことにしましょう」と返す。苦難の経験を積んだ二人は、成長した心であらためて開くことの大切さを思うのだ。

真実の愛と抱擁・キス

『アナと雪の女王』でジェニファー・リーは、クリス・バックと共同監督を務め、脚本を書いた。ナサリア・ホルトのノンフィクション『アニメーションの女王たち』には、「監督のひとりとなったジェニファーは、作品の核心をなす家族関係を、真実味を持って描く必要を強く感じた。そこでチームは、前例のない「姉妹サミット」なるものを開催する」とあった。ウォルト・ディズニー・アニメーション・スタジオの全体から女性スタッフを集め、「それぞれが順番に自分の体験を話し、女性であること、姉妹であることの意味について話し合った」のだという。そうして、主人公の姉妹が造形され、エルサは善性を持ちながら災いを招く悪役的立場となり、アナは寝ぐせやげっぷなどで人間味を与えられた。完成した作品を見ると、主要人物の外面と内面の齟齬や揺らぎといった複雑さをわかりやすく浮き彫りにする一方、家臣がただの背景と化し、王位不在期間の国家がどう統治されたかの問題は捨象された。全体的には寓話らしい単純化が図られたのだ。

エルサ役はイディナ・メンゼルが担当したが、ミュージカル女優である彼女の当たり役が『ウィキッド』のエルファバだったことは映画のスタッフに意識されていただろう。ジュディ・ガーランド主演のミュージカル映画版（一九三九年）で有名な『オズの魔法使い』（原作ライマン・フランク・ボーム、一九〇〇年）には、良い魔女グリンダと悪い魔女が登場したが、実は二人は友情で結ばれていたという設定の舞台が『ウィキッド』（原作グレゴリー・マグワイア、一九九五年）だ。見た目が美しく人気者のグリンダと緑色の肌と強い魔法の力を持つエルファバは同じ大学に入学し、最初は反発しあうものの、同じ男性に恋したりしながら友情が芽生える。だが、正義感の強いエルファバが、オズの国を支配する魔法使いの悪行を知り反抗したことから、逆に悪者に仕立てられてしまう。善きことをしたエルファバは悪名を背負ったままオズから去るが、彼女はその国の今後をグリンダに託す。善意の行動なのに悪役になること、性格の異なる女性との親愛の情という点でエルファバとエルサには共通性がある。また、エルファバは、脚が不自由な妹ネッサローズを思う姉だ。エルサと強い絆で結ばれたアナは、エルファバにとってのグリンダとネッサローズを融合した役回りととらえることもできる（ミュージカル『ウィキッド』は、アリアナ・グランデ主演で二部構成の映画化が進んでおり、第一部は二〇二四年十一月公開予定）。

『オズの魔法使い』の悪役に裏事情があった設定の『ウィキッド』は、『眠れる森の美女』の悪役の魔女が人間の王から被害を受けていたとするアナザー・ストーリー『マレフィセント』に先行していた。善玉と悪玉にまたがったキャラクターや、古典のアダプテーションに関して『ウィキッド』成功の影響は大きかっただろうし、アンデルセン『雪の女王』が『アナと雪の女王』に変容する過程でもインスピレーションを与えたと推察される。

『アナと雪の女王』と共通するテーマは、よく知られた他の作品にも見出せる。ここでは『シザーハンズ』と『キャリー』に触れておこう。ジョニー・デップ主演、ティム・バートン監督の映画『シザーハンズ』（一九九〇年）は、「ハサミ男」のタイトル通り、異形の存在を主人公にした。町はずれの丘の上に住む老発明家は、エドワードという人造人間を作ったが、手の先に指ではなくハサミの刃を着けていた。それをいよいよ人間と同じ手に換えようとした瞬間、老人は発作で急逝する。以後、屋敷で孤独に暮らしていたエドワードを見つけた化粧品セールスの中年女性ペグは、自宅に連れ帰り同居させる。ある種の慈善行為だろう。エドワードはハサミの使いかたが器用で、庭木の剪定、散髪などに才能を発揮する。郊外の住宅街で、彼は人気者になる。だが、ペグの娘キムの恋人ジムが泥棒するのを手伝わされ、失敗してエドワードだけが逮捕された。その後、氷を彫刻へと削っている際にキムの手を傷つけ、彼女の弟ケヴィンが車に轢かれそうになったところを助けたものの怪我させてしまう。街の人々は一転してエドワードを危険視し、彼は追われる身となる。

異様な存在であるゆえに群衆が狩ろうとする構図は、『美女と野獣』や『オペラ座の怪人』と近い。氷の城に引きこもったエルサをハンス率いる一群が襲撃したのとも共通する。ただ、『シザーハンズ』の場合、いったんは本人の異能が認められて人気になり、ちやほやされたのである。ペグのような慈善の心を郊外の人々は共有するかにみえたが、好意は簡単に反感へと反転してしまう。集団心理の恐ろしさである。それに対し、母ペグがエドワードを連れ帰った当初は醒めた態度だったキムが徐々にエドワードに同情し、粗暴な恋人ジムよりも想いを寄せるようになる。もといた丘の屋敷に逃げたエドワードは、追ってきたキムが嫉妬で狂うジムに暴力をふるわれるのを見て激怒し、彼を刺し殺す。キムは集まった人々に二人とも死んだと説明し、エドワードが屋敷でひっそり暮らせるようにする。

エルサは自分が望んだのではない特殊な力を持っていたため、意図しなくてもそれが暴力として発現することがあり、自身も苦しめた。エドワードも特殊な体のため、相手をかばおうとした時でさえ手先が触れれば怪我をさせ、本人の顔も自らつけた傷だらけだった。エルサとエドワードは、ヤマアラシのジレンマのキャラクター化という点で共通する。『シザーハンズ』には「抱いて」というキムに対しエドワードが「できない」と答える場面がある。それ以前にエドワードは、キムの部屋のウォーターベッドを誤って刃で傷つけ、水を噴出させたことがあった。彼がベッドで誰かとじゃれあうなんてことは困難だと暗示するエピソードだ。物語の最後では「さよなら」というエドワードの唇にキムがキスして屋敷から去る。二人に可能な精一杯の愛情表現がそれだったといえる。『シザーハンズ』のDVD特典映像でティム・バートン監督は作品の発想を問われ「十代の衝動、外面と内面の矛盾をあつかったもの」と答えていた。エルサやエドワードの異様さは、若者の「衝動、外面と内面の矛盾」を比喩的に誇張したものといえる。

ただ、『シザーハンズ』では三角関係で刃傷沙汰となり、人殺しになったエドワードは隠遁を余儀なくされる。『アナと雪の女王』におきかえれば、氷の城に引きこもる生活だ。それに対し、『アナと雪の女王』でもクライマックスでハンスはエルサという異様な存在に剣をふり下ろすが、間に入り受けとめたアナが凍りついて刃は砕け散る。同作では、アナ、ハンス、クリストフの男女関係と、姉妹に対するハンスの王位簒奪計画という二つの三角形の争いが交差したうえでハッピーエンドが導かれた。『シザーハンズ』の人間関係を複雑化して構築したような物語なのだ。『シザーハンズ』は老婆となったキムが、今でも丘の上でエドワードが氷の彫刻を削るその粉が雪になり街に降っていると孫に話し聞かせているというのが、作品の大枠の設定である。異様な存在の行き場のない孤独な感情が雪に象徴されることにも、『シザーハンズ』と『アナと雪の女王』の共通性がうかがえる。

一方、主人公の感情を雪や氷とは反対に炎で表現したのが、『キャリー』だ。同作はホラー小説の巨匠、スティーヴン・キングのデビュー作（一九七四年）であり、複数回の映像化のほかミュージカル化もされたが、物語をポピュラーなものにしたのはブライアン・デ・パルマ監督の出世作となった最初の映画版（一九七六年）だろう。このヴァージョンに沿って紹介すると、主人公の高校生キャリーは、さえない容姿でおどおどしておりクラスで虐げられている。彼女は、キリスト教を狂信し性愛を憎悪する母の偏ったしつけのせいで、月経を知らなかった。このため、体育の授業後にシャワールームで初潮を迎えパニックに陥ったキャリーは、女子グループからさらにいじめられる。だが、いじめた一人だったスーは後悔し、自分の恋人トミーにキャリーをプロム（高校の学年最後のパーティ）に誘うよう頼む。彼女のその善意が、災厄を招く。

キャリーは、プロムのような浮かれた場所に行くことに反対する母をふり切って出かける。幼い頃から触れずにモノを動かす念力を有していたキャリーは、それを自覚してからは密かに力を育てていた。娘は母に反抗できるようになっていたのだ。キャリーはプロムでトミーと楽しい時を過ごし、会場の投票でベスト・カップルに選ばれる。だが、それはいじめっ子グループの策略であり、ステージでプロム・クイーンとして表彰される彼女は、上方にしかけられたバケツから豚の血を浴びせられる。それは、初潮の際に騒いだことをあてこすったひどい仕打ちだった。激怒したキャリーは、自身の力を全開にして周囲の人々を攻撃し、会場を火の海にする。

親の抑圧。自分が他の人々と違うと知るゆえの気おくれ。晴れがましい場に出されたのに、周囲が急に自分の敵になったことへの驚愕。それまで抑え鬱屈していた感情を爆発させ、力を最大限に解放する快感。それらの要素が、エルサとキャリーで共通する。親による抑圧を、親が不在になったことに伴う放置にかえれば、エドワードの境遇とも近い。『アナと雪の女王』や『シザーハンズ』がそうだったように、『キャリー』でも主人公の特殊さの設定を通して若者の「衝動、外面と内面の矛盾」が、増幅して描かれるのだ。

ただ、特殊設定を持ちこんだ青春ものは、よく用いられる共通要素（家族の抑圧、友情と裏切り、異端視など）

がいくつかありながらも、それらが組み換えられることで、物語のヴァリエーションが生まれる。例えば、アナとハンス、キャリーとトミーの関係ではいずれも嘘の恋が描かれるが、ハンスの策略が判明しアナと敵対するのに比べ、トミーはキャリーと話し一緒に踊るうちに本当に魅かれ始めたようにみえる。だからこそ夢見心地の状態を壊されたキャリーは怒りで理性を失い、味方になってくれた教師までが自分を嘲笑したと思いこみ、視界に入るみんなを死に追いやるのだ。「レット・イット・ゴー」で「風は吠える　心の内で渦巻く嵐のごとく」と歌われたように、エルサの内で渦巻く激情は、魔法の力でそのまま外の世界で吹雪となった。同じくキャリーの内で燃える怒りは現実化し、外のすべてを焼きつくそうとする。

自分にも友だちや恋人ができるかもしれないという望みが破れたキャリーは、家に帰り、泣いて母に甘えようとする。母は娘を優しく抱きしめたかに思えたが、超能力を持つ我が子を悪魔とみなし、自分の胸に顔を埋めた相手の背を包丁で刺し、殺そうとする。それに対し娘は、念力でキッチンにあった刃物を次々に飛ばし、母を磔状態にして殺す。狂信者にふさわしい十字の姿だ。直後、キャリーは自宅に石を降らせ炎上させ、母と心中するように死ぬ。エルサは、自分の力の暴走が原因で凍りついたアナに泣いて抱きつき、真実の愛によって彼女を救うことでようやく本当に仲のいい姉妹になった。一方、他人たちが暮らす外の社会へ参加する夢に破れたキャリーは、以前のように母の教えに従う生活に戻ろうとした。だが、悪魔を産んだと考える母は、自分の責任として娘の命を絶とうとする。複雑な感情の入り混じった二者の関係が臨界点を迎えた時、抱擁やキスが劇的な変化をもたらし、物語が終わりを迎えるのは、おなじみの展開だ。『アナと雪の女王』の姉妹、『キャリー』の母娘、いずれも血のつながった離れがたい関係だが、終盤の抱擁の意味は、愛と殺意で正反対なのである。

ブライアン・デ・パルマ監督版『キャリー』は、ラストの強烈なサプライズが有名だ。事件終結後、スーがキャリーの自宅跡の墓へ行き花束を供えようとすると、地中からいきなり血まみれの腕が伸びてきて彼女の腕をつかむ。スーが叫び声をあげると、それは彼女が見た悪夢だったと判明し、半狂乱になって暴れる娘を母が抱いてなだめようとする場面で幕切れとなる。結果的に惨事を招いたが、死んだ級友を真に思いやっていた娘スーへの母の愛情を、キャリーの母とのねじれた関係と対比するようにして映す。それは物語の最後における一種の救いだろう。

以上のように比較すると、『シザーハンズ』や『キャリー』で悲劇へ導かれたのと共通するモチーフをちりばめながら、ハッピーエンドへむかうように物語を構成したのが『アナと雪の女王』だったと解釈できる。

多様性の包摂か棲み分けか

魔女の呪いで野獣に変えられた『美女と野獣』の王子は、その魔力のせいか、居城から離れられない。『ノートルダム・ド・パリ』では、他人の目に触れず聖堂の鐘楼で生きるようにしつけられたカジモドが、やがて外の世界と行き来することを覚える。『オペラ座の怪人』のファントムは、地下を棲み家にして劇場周辺で事件を起こす。他人との大きな違いを抱えた彼らは、閉域に一人でいる方が平穏に過ごせたかもしれない。だが、カジモドやファントムは、エスメラルダ、クリスティーヌという愛する対象を見つけたため、外部での活動が増える。野獣の場合も、誰かから愛されれば魔法が解けて王子の姿に戻れるとわかっているため、外部からベルが城へやってきたことで局面は動く。異様な者のこわばった心が、外部の誰かとの出会いをきっかけに変化する展開は、三作に共通する。一方、『アナと雪の女王』の場合、引きこもっていた部屋から外へ出たエルサが特殊な力を暴発させるが、前記三作のような恋愛感情ではなく、妹アナへの親しみと反発の入り混じった思いが、彼女のふるまいを左右する。また、野獣、カジモド、ファントムは恋愛対象を自分が暮らしてきた閉域に囲いこもうとするのに対し、エルサは他の人々から離れ、自分一人のための新たな閉域を作り出す。彼女の行動原理は、他の異様な者たちと異なっている。

ただ、エルサは山奥にこもった後も、意図しないまま漏電のごとく力を暴走させ続け、アレンデール王国を冬にしてしまう。亡き父には幼い頃から力をコントロールする術を身に着けるように指導され、部屋に引きこもり妹を遠ざけていた。だが、その術を会得しないまま、戴冠式後、一人になった彼女はためらうことなく力を発揮して氷の城を建てた。その際、彼女は力を全開にしたが、自身が意識する以上に力の影響は広がっていた。継承したはずの王位を投げ出し、力を抑えよという戒めを破った彼女は、初めて父に反抗したのだ。いってみれば、故郷を氷漬けにして吹雪を浴びせることで、それまで王国を支配してきた家父長制にNOを突きつけたわけである。本人は王国から離れ一人きりになったつもりでも、国民全体を巻きこむ災厄になっている。「レット・イット・ゴー」の「風は吠える　心の内で渦巻く嵐のごとく」、「嵐よ吹き荒れろ」という歌詞の通り、エルサの心の嵐は、そのまま外の世界の嵐として現れた。ゆえに被害をもたらした彼女は、物語で悪役の立場とならざるをえない。

家父長制への反抗の図式は、『リトル・マーメイド』にもみられた。同作の場合、アリエルには六人も姉がいたが、人間界に憧れる彼女の気持ちの理解者は一人もいなかった。末娘以外は、海を治める王であり地上を敵視する父トリトンの戒めを素直に守っていたのである。アリエルは人間にまつわるコレクションを洞窟に隠していたが、それを知ったトリトンに破壊される。彼女が自分だけの閉域を持とうとしても、海を支配する父の目からは逃れられない。したがって、尾びれのある魚の下半身を足に変え、人間になって恋する王子がいる地上へ行くことは、恋愛の成就だけでなく、父に反発しその支配からの脱出も望んでいることを意味する。同時に、アリエルに足を与えるかわりにその声をもらい受けた魔女アースラは、末娘の彼女を人質にする策略でトリトンの海の支配権を奪おうとする。かつて、トリトンによって王宮から追放されたアースラも彼に反感を抱いていた。女性二人はそれぞれ、家父長制に抵抗するキャラクターなのだ。海から陸へ上がるアリエル、海の権力図を塗り替えようとするアースラの属性を融合するようにして、山へ登り、故郷を雪と氷で覆うエルサは造形されている。

野獣、カジモド、ファントムをめぐっては、ベル、エスメラルダ、クリスティーヌへの想いがどんな結末を迎えるかという二者関係を物語の軸としながら、異様な存在である彼らと一般群衆が対決する構図にむかう。『アナと雪の女王』の場合も、エルサがいる氷の城にハンスを中心とする一群が攻め入るが、物語の底流には亡父が遺した家父長制的な制約に彼女が抗うという別の対決図式が潜んでいる。ここまで『アナと雪の女王』を『ウィキッド』、『シザーハンズ』、『キャリー』、あるいは『美女と野獣』、『ノートルダム・ド・パリ』、『オペラ座の怪人』などと比較してきたが、それらは制作者が意識したかどうかにかかわらず、テーマやモチーフに共通点のある物語同士が、必然的に近い類型的要素を含みがちでありつつ、組みあわせの差異によって意味あいを変える様子を観察したものだった。『美女と野獣』や『ノートルダムの鐘』もそうだが、ディズニーのヒット映画の場合、短編やビデオといった形態で後日談、外伝的な続編がしばしば作られる。『アナと雪の女王』に関しては、その種の作品もありつつ、第一作と同じくクリス・バックとジェニファー・リー（前作と同様に脚本も担当）の共同監督で本格的な長編の続編『アナと雪の女王2』（二〇一九年）が制作された。同作は、第一作以上に家父長制への抵抗をクローズアップした内容だった。

前作から三年が経った平穏なアレンデール王国でエルサは、自分を呼ぶ不思議な歌声を聞く。彼女が声に応じて歌うと（「イントゥ・ジ・アンノウン」）、目覚めた風、火、水、地の精霊によってアレンデールの町は大きな被害を受ける。人々を高台に避難させたエルサは、アナとクリストフ、オラフとともに、真実を知るため魔法の森へ旅に出る。姉妹は幼かった頃、父のアグナル王から、四つの精霊に守られ魔法の森に暮らすノーサルドラの民について話を聞かされていたからだ。昔、彼らとアレンデールの間で戦いが起きた際、怒った精霊たちは魔法の森を霧で覆い封じた。その森に入ることができたエルサ一行は、霧に閉じこめられていたノーサルドラの民、アレンデールの兵士たちと遭遇する。そして、ノーサルドラの女性指導者イエレナから、四つの自然の精霊と人間の架け橋になる第五の精霊がいると教えられたほか、エルサとアナの母イドゥナがノーサルドラの人間だったとわかる。父母はそれぞれ敵対する地域に属していながら結婚したのであり、前作で彼らが死ぬことになった船旅は、過去の謎を探るためのものだった。エルサはアナへ告げず、一人で両親の旅をなぞりアートハランへむかう。彼女は、祖父で先々代の王だったルナードがノーサルドラへの贈り物としてダムを作ったのは、式典で相手の勢力を知るための策略だったと知る。祖父は先方の無防備な指導者をだまして殺し、戦争をしかけたのだ。

水の記憶により、先祖の過去の忌まわしい行いを見せられたエルサの体は凍りつくが、魔法の力で離れた場所にいるアナへそのことを伝えた。妹はこじれた事態を解消するためにはダムを破壊するしかないと決断し、地の精霊を挑発して岩を投げさせる。ダム決壊に伴う洪水はアレンデールを襲おうとするが、魔法が解け、体がもとに戻ったエルサが街を呑もうとする大波を凍らせ危機を回避する。彼女こそ、自然の精霊と人間の架け橋になる第五の精霊だと判明した結果、エルサは魔法の森で生きることを選び、アレンデールの王位はアナが継ぐ。姉妹は別の場所で生きるようになっても、風の精を通じて仲よく連絡をとりあっているというのが、物語の結末だ。

水は過去を記憶するというオカルト的設定によって、祖父の愚行が子や孫の代にまで悪影響を残したことを描くこの物語は、アメリカという国家が先住民に行ったことを思い起こさせる内容になっている。ただ、アナは、先祖の非道を償うためにはダムを壊すのが正義だと判断するが、ダムが完成したのは今となっては遠くになった過去である。アレンデールの国民は、そんな出来事の有無など意識しないまま現在までの生活を積み重ねてきたことを、彼女はどこまで考慮したのか。前作では王家のエルサ、アナと家臣の交流がきちんと描かれなかったが、『アナと雪の女王2』では、魔法の森にとり残されていたアレンデールの兵士たちが登場し、リーダー的立場のマティアス中尉が姉妹と会話し、アナとともにダムを破壊に導く。家臣の立場や考えも語られている。だが、一般庶民についてはどうか。人々は高台に避難しているから生命の危険はないとしても、洪水が街を襲えば彼らが日々働いて築いてきた財産は一瞬で失われるだろう。国民の財産を守ろうとしないダム破壊の決断は、世間知らずの王家のお嬢さまらしい独善にも感じられる。ゆえに、アナが引き起こした大波をエルサが魔法の力で一気に凍らせた後、ゆるやかに水に戻し破滅を避けた姉妹の連携は、過去の悪行を償う正義と国民の生活基盤を守るべき現実のバランスをとった展開といえる。

とはいえ、エルサが魔法の森へ移ってノーサルドラのリーダーとなり、アナがアレンデールの王になる展開は、ダブル・プリンセスと銘打ったこのシリーズにとってバランスをとった結末かもしれないが、エルサというキャラクターにふさわしい結末だったのか、疑問が残る。第一作では、エルサの特殊さを隠すため、父は彼女に様々なことを禁じたが、娘は力を解放することでその束縛を打ち破った。また、愛を知り、力をコントロールする術を身に着けてからは、門を開放し、それまで自分を怪物のように恐れ敵視したアレンデールの人々とも親しく交流するようになった。母国は異能者である彼女を受け入れ、ハッピーエンドとなったのである。一方、第二作では祖父による別の部族への蛮行が暴かれ、姉妹の協力で過去からの間違った状態は正されて友和の時代がもたらされた。家父長制の強権に起因する歪みに対抗し、新たな状態へと姉妹が塗り替える筋立ては両作に共通する。

しかし、第二作では、アレンデールの王家に生まれた父に対し、母は自然の精霊が存在する魔法の森にいるノーサルドラの一族だったと明かされ、普通の人間であるアナは前者の、特殊な力を持つエルサは後者の血を濃く引くように描かれるのだ。第一作では普通の人ばかりが暮らすアレンデールにエルサは最終的に包摂されたが、第二作で異能者の彼女は、精霊や魔法の存在が当たり前になっているノーサルドラの一族とともに生きるほうが自然であり幸せだとする結論に傾いたようにみえる。異能者は異界を居場所にすべきだというように。アナは、第二作で自分の助力者であり続けたクリストフのプロポーズを受け入れ、結婚を決めた。王位につく彼女の婚姻は、跡継ぎができて王家が存続することを期待させる出来事でもある。それに対し、第二作でもエルサは恋愛に関心を示さないものの、彼女は自然の精霊と人間の架け橋となる第五の精霊であることが明らかになった。特殊な力を持つ彼女は、特権的な地位にあるとお墨つきを得たのである。また、霧に閉じこめられた魔法の森でノーサルドラの指導者だったのは女性のイエレナであり、性差別のない一族だと暗示されてもいる。そこはエルサにとって確かに居心地のいい場所だろう。姉妹は連絡をとり続けるにしても、属性に応じて場所を棲み分けるのだ。

エルサにとってアナが統治するアレンデールよりもノーサルドラのほうがユートピアであるようにみえる結末は、第一作がラストで示した多様性の包摂の敗北にもみえ、釈然としない印象が残る。姉妹は祖父の禍根を絶つ一方、エルサは自身が見出した母の故郷（ルーツ）を真の自分の居場所だととらえるのだ。祖父の過去が残した因縁を解消しつつ、母の過去を規範として発見し、回帰し、自分の存在根拠とする。そのように前向きと後ろ向きの思考が入り混じった物語になっている。

『アナと雪の女王2』でエルサが歌う「イントゥ・ジ・アンノウン」のタイトルになったフレーズは日本語版の曲中で「未知の旅へ」と訳され、邦題には「心のままに」とサブタイトルが付された。未知の力を持っていたエルサは未知の場所だった魔法の森へ行くことで心のままに生きられる。だが、「あるがまま」でいられるのが生まれ暮らしてきた〝ここ〟ではない別の場所ならば、それは本当の「あるがまま」ではないのではなかろうか。

作品リスト

［童話］

ハンス・クリスチャン・アンデルセン『雪の女王』1844年

ハンス・クリスチャン・アンデルセン『雪だるま』1861年

［映画］

レフ・アタマーノフ監督『雪の女王』（アニメ）1957年

ヴラドレン・バルベ＋マキシム・スベシニコフ監督『雪の女王』（アニメ）2012年

クリス・バック＋ジェニファー・リー監督『アナと雪の女王』（アニメ）2013年
出演：クリスティン・ベル、イディナ・メンゼル

クリス・バック＋ジェニファー・リー監督『アナと雪の女王2』（アニメ）2019年
出演：クリスティン・ベル、イディナ・メンゼル

［ミュージカル］

クリステン・アンダーソン＝ロペス＋ロバート・ロペス作詞・作曲
『アナと雪の女王』2018年

［関連作品］

ミュージカル

ステファン・シュヴァルツ作詞・作曲『ウィキッド』2003年

映画

ティム・バートン監督『シザーハンズ』1990年
出演：ジョニー・デップ、ウィノナ・ライダー

ブライアン・デ・パルマ監督『キャリー』1976年
出演：シシー・スペイセク、パイパー・ローリー

第六章　死　つきまとう――『エリザベート』

バイエルン王国に生まれたエリザベートは子どもの頃、命を落としかけてから、トート=死に愛されるようになった。やがて、オーストリア皇帝の妻となるが、自由を求める彼女は伝統を重んじる義母と対立し、夫も頼りにならない。美貌から民衆の人気を得る一方、宮廷の抑圧に苦しみ、しばしば旅に出る。国内外の政情が不穏ななか、エリザベートは、トートへ引き寄せられていく。

死を光源とする逆転の発想へ

右記は、ミヒャエル・クンツェ脚本・歌詞、シルヴェスター・リーヴァイ音楽によるウィーン発のミュージカル『エリザベート』（一九九二年初演）の骨子である。タイトル・ロールのエリザベート・アマーリエ・オイゲーニエは実在した人物であり、一八三七年に生まれた彼女は、一八九八年にイタリア人の無政府主義者ルイジ・ルキーニに刺殺された。ミュージカルにおいて黄泉の帝王トート（「tod」はドイツ語で死を意味する。死神的存在）に愛され、つきまとわれるのは、暗殺による非業の死から逆算された設定であり、逃れられない運命を強調するものになっている。

伝えられる史実を記しておく。エリザベートは南ドイツ一帯を支配するバイエルン王国の王族の分家に生まれた。父のマクシミリアン公爵はこの身分の儀礼にこだわらず、狩猟や乗馬を好み、チターを弾くなど音楽に親しんだ。子どもたちのなかでも、とりわけ父の自由な気風を受け継いだのが、エリザベートだった。シシーの愛称を持つ彼女も乗馬をこなす一方、ハインリヒ・ハイネを愛好して詩作に耽り、野性と夢想をあわせもつ少女に育った。だが、母ルドヴィカが、オーストリア皇太后ゾフィーの妹だったことから縁談が画策される。ゾフィーの息子で皇帝のフランツ・ヨーゼフとエリザベートの姉ヘレーネを結婚させようとしたのだ。しかし、フランツ本人が選んだのは、エリザベートだった。自身が望んだのではないが断ることもできず、彼女はオーストリア皇妃となる。自由に育ったエリザベートは、宮廷の細かい礼儀作法に従わせようとするゾフィーに抑圧される。中部ヨーロッパでおよそ六百年にわたり君臨してきたハプスブルク家の伝統を背負う皇太后は、息子夫婦の性生活を把握し、皇妃の産んだ子どもをとりあげて教育も自分の下で行わせた。それらは宮廷のしきたりだったが、息苦しさからエリザベートは心身に不調をきたし、大西洋のマデイラ島という遠い場所へ転地療養に赴いた。それをきっかけに、なにかと慰問や旅に出て、宮廷から遠ざかる生活をする。

公務を厭うことへの批判はあったものの、エリザベートは美貌ゆえに民衆の人気を得た。本人も美しさを保つべく、美容やダイエットに執心する。夫のフランツには長く愛人がいたりもしたが、好き勝手なふるまいをする妻を愛してもいた。だが、多くの民族を従えるハプスブルク家は、諸外国とは度重なる戦争、足下では自由主義の台頭による独立運動に揺さぶられる。一つの対応として、ハンガリーに一定の権利を認める形のオーストリア＝ハンガリー帝国（二重帝国）を成立させ、フランツがハンガリー国王となる。王妃のエリザベートは、以前から親ハンガリーの姿勢をみせていたため、友和のシンボル的存在だった。だが、後年の彼女には不幸が続く。バイエルン王ルートヴィヒ二世と八歳上のエリザベートは親戚関係であり、芸術嗜好の面などで共感する面があり、親交があった。後に破棄されたが、エリザベートの妹とルートヴィヒが婚約したこともある。だが、狂王と呼ばれた彼は奇行が続いたうえ、不可解な水死を遂げた。

一方、エリザベートは旅ばかりしていて、うまく親子関係を築けなかったが、それでも息子の皇太子ルドルフは母を慕っていた。しかし、彼は自由主義を信奉したため、保守的な父フランツと反目しあう。ルドルフは女性とともに銃で謎めいた自殺をしてしまう。息子の死去以後、喪服を着続けたエリザベート自身は、政治的意図がよくわからない暗殺でこの世を去るのだ。

華やかさと暗さが複雑に交差した人生は、ドラマチックである。そんな彼女の大衆的なイメージをまず作りあげたのが、ロミー・シュナイダーがエリザベートを演じた映画『プリンセス・シシー』三部作（エルンスト・マリシュカ監督）だった。この三部作は、エリザベートに関しては皇太后による皇妃の抑圧や転地療養、政治をめぐってはハプスブルク家が支配する地域での自由主義の台頭、オーストリアに対するハンガリーやイタリアの反発など、主人公側にとってネガティヴな要素も盛りこんではいた。だが、後半生はあつかっていないため、ルートヴィヒやルドルフの死、エリザベート自身の暗殺は語られない（ちなみにロミー・シュナイダーは一九七二年にルキノ・ヴィスコンティ監督『ルートヴィヒ』でもエリザベートを演じた）。三部作では煌びやかな衣裳で宮廷生活が描かれ、結婚式、戴冠式、舞踏会観劇など音楽が流れる場面が多い。後にミュージカルの題材となったことが、よく理解できる内容である。また、国王夫妻の外国訪問、転地療養といった観光的要素、自然や動物に親しむエリザベートの姿など、多くの娯楽要素が詰めこまれている。さらに三作は、いずれもハッピーエンドなのだ。

映画三部作に共通するのは、皇帝フランツが母ゾフィーのいいなりではなく、彼女にも年上の大臣にも自分の意見をいい、エリザベートといきちがいがあってもやがて理解を示す、よき君主、よき夫であることだ。第一作『プリンセス・シシー Sissi』（一九五五年。DVD化では『エリザベート　ロミー・シュナイダーのプリンセス・シシー』）では、フランツが姉ではなく妹のエリザベートと婚約したことで波紋が広がるが、無事に結婚式を迎える。『若き皇后シシー Sissi Die junge Kaiserin』（一九五六年。DVD『エリザベート2　若き皇后』）では、ゾフィーに娘の養育権を奪われたエリザベートが故郷に帰ってしまうが、フランツが迎えにきて彼女の要求は通り、夫妻のハンガリーでの戴冠式で大団円となる。エリザベートとゾフィーの対立は、養育権をめぐるものだけではない。ハンガリーを敵視する皇太后と違い、親ハンガリーの姿勢をとる皇妃の働きかけで外交的にも丸く収まる形だ。

『ある皇后の運命の歳月 Sissi Schicksalsjahre einer Kaiserin』（一九五七年。DVD『エリザベート3　運命の歳月』）でエリザベートは、前作で支援したハンガリーの伯爵から想いを告白されるが、夫への愛は揺るがない。彼女の肺疾患が見つかり転地療養する一方、フランツは新しい妻を探せというゾフィーに激怒する。無事回復した妻とフランツがそのままイタリア外遊へ行くと、地元の強い反感に出くわす。だが、しばらく離れていた幼い娘が駆け寄るのをエリザベートが抱きしめると、その再会劇を目撃した民衆は感動し、夫妻を受け入れる。この三部作は、フランツとエリザベートのラヴ・ロマンスものでありつつ、皇太后に象徴される旧弊に抗して自由を求める主人公が、夫の愛だけでなく外交的な影響力を得て、民衆からも愛されるようになる政治劇でもあるのだ。また、映画ではエリザベートの母ルドヴィカをロミー・シュナイダーの実の母マグダ・シュナイダーが演じており、家族ものの色彩も強い。三部作を通してゾフィーが主人公の敵役だが、彼女も妹ルドヴィカに懐柔され決定的な亀裂には至らない。だから、ハッピーエンドへたどり着ける。三部作は、皇帝夫妻をかなり美化しており、史実と異なる部分が多い。ただ、その楽天的な内容ゆえに好評だったのも事実だろう。

第一作でフランツと親しく接するエリザベートをスパイだと勘違いした憲兵隊の大佐が、第二作では彼女に恋焦がれているなど、コミカルな描写も少なくない。だが、この三部作にも、エリザベートの実の生涯を反映して暗い影が差す場面がなくはなかった。第一作では、結婚の決まった彼女が、飼っていた動物を逃がしてやる。その行為は、姉を押しのける形になった望まぬ婚約で、自分が宮廷という籠に入れられてしまう不安に対する反動といえる。実際、第二作では宮廷での生活の息苦しさが描かれるのだ。また、第三作では、エリザベートが道端で出会った占い師からよき運命を告げられる。だが、彼女が去ると、占い師は「可哀想な運命の方」と独り言をいう。観客は、たとえ映画でエリザベートの死をあつかわなくても、彼女が最後に暗殺されたことを歴史の事実として知っている。占い師のセリフは、そんな観客への目配せとなっていた。みんなが知る彼女の不幸を作品の外部へ追い出したからこそ、それとの対比で物語の内側の華やかさが際立つという図式だ。

これに対し、クンツェ&リーヴァイのミュージカルは、逆の発想で作られている。『オール・インタビューズ――ミュージカル『エリザベート』はこうして生まれた』(二〇一六年)などで、このストーリーを生み出したミヒャエル・クンツェの発言を読むと、彼は六百年余りも続いたハプスブルク帝国が十九世紀終わりに崩壊へむかったことをある種の世界の終わりととらえ、ミュージカルのテーマにすることを思いついたという。米ソの東西冷戦が終結し、ベルリンの壁が壊され東西ドイツが統一に進む時代に、それを発想したのである。世界を覆っていた一つの価値観の終焉という点で、過去のハプスブルク崩壊と同時代のベルリンの壁崩壊を重ねあわせたわけだ。その主人公に選んだのが、エリザベートだった。彼女は、自由気ままな父の影響で活発だったために幼い頃、高所から落下し意識を失う。その際、トート=死が現れるが、彼女に恋してしまった彼は命を奪わなかった。以後もことあるごとにエリザベートの近くへ訪れ、彼女に死を与えるのにふさわしい機会をうかがう。彼の力は、息子ルドルフにもおよぶ。後に触れる通り、ミュージカル『エリザベート』はヴァージョンによって劇中のトートの位置づけに違いがある。ただ、彼がエリザベートやルドルフといった個々人の人生に介入する死神であると同時に、ハプスブルク＝世界の終わりを象徴する黄泉の帝王だという性格づけは、初期からなされていた。

とはいえ、『プリンセス・シシー』三部作が作中から排除した後半生の不幸を発想の出発点にしてミュージカル化するのは、難しいことだった。悲しみを生きた女性を主人公にして二時間半の舞台を作っても、観客を楽しませることはできないのではないか、と考えたからだ。だが、悩んだクンツェは、解決策をひねり出す。

エリザベートはうつ状態だった、ということは常に死に焦がれていたのではないか、それは彼女自身も常に言っていたではないか、となると死を彼女の恋人とするのはどうだろうと。そして次の瞬間にひらめきました。これでハッピーエンドが描けるではないですか。（『オール・インタビューズ』）

旧い世界に抗い自由を求めた女性というイメージは共通するものの、『プリンセス・シシー』三部作がネガティヴな要素を外へ追いやり明るい部分ばかり強調したのに比べ、クンツェは、トート＝死を光源のように使い、暗殺という悲劇を彼との愛の成就として描き、ハッピーエンドにしてしまった。この逆転の発想が、ミュージカル『エリザベート』を優れた作品にしたのだった。

俯瞰する死と狂言回し、二人の帝王

トートは、エリザベートやルドルフ以外の人々には見えない異界の存在だったかと思えば、人間の姿で現れて周囲の人々にネガティヴな働きかけをしたりする。彼は分身といえる黒天使(トートダンサー)たちを引き連れ、物語の要所に登場する。トートは、自由を求めても抑圧されるエリザベートが無意識に抱えた死への衝動のキャラクター化だろう。

同時に異界に属するトートは、この世を俯瞰するような態度を示す。舞台において特異な立場にあるのは、トートだけではない。幕開けでまず登場するのは、物語の最後でエリザベートを刺殺するルキーニだ。彼は獄中生活の後、自殺したのだが、煉獄で延々と裁判官から尋問され続けている。なぜ殺したのか、彼が「エリザベートが求めたからだ」と答えても裁判官は納得せず、審理が膠着状態となるなか、彼女に関わった死者たちが召喚され、トートも現れる。そして、エリザベートの幼少期からの人生をふり返る形で物語が進み出す。ルキーニが彼女と本当の意味で接するのは最後の暗殺場面だけだが、彼は物語の始めから狂言回しとして様々な立場の人間に扮し、何度も舞台に登場する。エリザベートの近くに立つこともある。『エリザベート』は、トートとルキーニという物語をめぐる二つの第三者的視点に挟まれて展開していく。エリザベートやルドルフ以外でルキーニだけが、トートを見ることができる。トートは人間の魂を奪う存在であり、ルキーニは刺殺して主人公の肉体活動を停止させる人間だ。つまり、死というものに立脚した二種類の光源によって、物語が立体的に照らされている。この二人も一種の分身関係に違いない。

反政府側のルキーニを狂言回しに設定した点は、渡辺諒が『『エリザベート』読本』ウィーンから日本へ』（二〇一〇年）で指摘する通り、『ジーザス・クライスト・スーパースター』（一九七一年初演）、『エビータ』（一九七八年初演）といったアンドリュー・ロイド・ウェバー作のミュージカルからの影響がうかがえる。『ジーザス・クライスト・スーパースター』では、イエス・キリストの身近にいた使徒の一人だったのに、師を裏切って権力側に売り渡し、死に至らしめたユダが狂言回しとなった。一方、『エビータ』では、キューバの革命家チェ・ゲバラをモデルとしたチェという男が、シングル・マザーの娘として生まれたエヴァ・ペロンが大統領夫人となる過程の語り手となる。イエス、エヴァは、それぞれ宗教者として、ファーストレディとしてメッセージを投げかけ、多くの信奉者を獲得した。それに対し、ユダ、チェは、聖俗の両面をあわせ持つ主人公の俗の部分や矛盾をネガティヴにいい立てる。彼らは、大衆の付和雷同ぶりを指摘する役回りでもあり、チェはマスコミがエヴァ人気に貢献していることを指摘する。『ジーザス・クライスト・スーパースター』はイエスが生きた大昔の話ではあるが、同作も世論の移ろいやすさを語る部分は、マスコミが発達した現代の感覚で作られていた。ルキーニが、宮廷での暮らしぶりや新聞報道、皇帝夫妻関連のグッズ販売などに関し歌って人気者の別の顔を皮肉り、エリザベート像を相対化するのは、ユダやチェのふるまいを受け継いでいる。

ミヒャエル・クンツェは、音楽界で一九六〇年代にまずポップスからキャリアをスタートし、一九七〇年代には後に『エリザベート』などのミュージカルを共に作るシルヴェスター・リーヴァイと組んでディスコ音楽でヒットを出していた。だが、一九八〇年代にはミュージカルを活動の中心とし始め、海外演目のドイツ語訳を手がけた。そうした作業のなかでミュージカルの骨法を体得したのだろう。訳した演目には『エビータ』、『キャッツ』、『オペラ座の怪人』など、アンドリュー・ロイド・ウェバー作品も含まれていたのである。したがって、一九九〇年代にオリジナル・ミュージカルを製作するようになった彼が、『エリザベート』でロイド・ウェバー的な物語構成を採用するのは、自然な流れだった。

本書第三章で触れた通り、ロイド・ウェバー版『オペラ座の怪人』は、ファントムが引き起こした事件にまつわる品々のオークション風景から開幕し、落とされ壊れたシャンデリアに光が灯り上昇するところから時間が巻き戻され、物語の本編が始まった。ルキーニの煉獄での裁判にエリザベートに関係する死者たちが召喚される『エリザベート』の始まり方は、災厄がすでに起きてしまった時点から過去にさかのぼる構成が『オペラ座の怪人』と近しい。また、フランツとエリザベートの結婚を祝賀する舞踏会にトートが現れ、彼女の愛をめぐって皇帝と争うことを宣言する「最後のダンス」の場面は、大きな鏡のある広間で展開される。これも『オペラ座の怪人』でクリスティーヌがいる部屋の鏡のむこうからファントムが現れたことを想起させる。鏡は、忌まわしき相手がヒロインの分身としての性格も持つことを暗示しているのだ。

いってみれば『エリザベート』は、ヒロインが身分違いと思える結婚をして国家の人気者になる『エビータ』と、明るい日常を脅かす暗い世界の住人にヒロインがつきまとわれる『オペラ座の怪人』を融合したように作られている。『エビータ』の場合、地方で私生児として生まれたエヴァが、恋したタンゴ歌手に強引に頼んで都会のブエノスアイレスへ行き、芸能界を漂いつつ男遍歴を重ね、後に大統領となるファン・ペロン大佐と出会う。大統領夫人となり、副大統領になることも夢ではないほどの国民的人気を獲得する後半生は、私生児だったエヴァの出発点からすれば、地位に開きがあり場違いにみえる。ただ、自分がのし上がるためには汚い手段も厭わないところはエヴァとファアンに共通しており、彼らは似た者同士なのだ。それに対し、『エリザベート』では、自由すぎるふるまいで変わり者あつかいされる父に似て育ち、ハプスブルク家の伝統からはみ出す野性と夢想を抱えたエリザベートは、皇太后ゾフィーからすれば宮廷を乱す異物なのである。伝統を重んじる母の立場に理解を示す夫フランツも、考え方は保守的であり、エリザベートとわかりあえない。ペロン夫妻と違って似た者同士ではない。

そうであっても、国王がいったん結婚すれば、伝統や宗教の面から離婚することは許されない。しかも、旅の連続や極端なダイエットなど奇行とも感じられる身勝手な行動をする妻を、史実として夫は許容したのだし、エリザベートの生涯を脚色するうえでは、それでもフランツは彼女を愛していたとするのが前提になっている。例えば、藤本ひとみの小説『皇妃エリザベート』(二〇〇八年)では、やはりフランツは皇帝の務めを優先する保守的な思想の持ち主に描かれているが、長年の奇妙な夫婦生活を経て「あなた、なぜ私と結婚したの」と問う妻に対してこういうのだ。

「僕には、自由なあなたが必要だったからね」
(中略)
「だがあなたは自由だ。そういうあなたを見ているのが楽しい」

クンツェ作『エリザベート』では、後年にフランツがエリザベートに歩み寄りを頼み、彼女が受け入れない場面がある(「夜のボート」)。この舞台においても、自由なあなたが好きというのが、彼が妻にむける感情のベースになっているように思う。エリザベートがゾフィーにとって許容しがたい異物であったとしても、フランツにとっての彼女は、同じ考え方はできないにせよ拒絶したい異物ではないし、なお愛したい相手なのだ。一方、トートは、人間界に属さない黄泉の帝王なのだから、生者にとって異物に違いない。だが、彼の出現は、宮廷の伝統に抑圧されたことに伴う死の衝動など、エリザベートが内に抱えるネガティヴな感情と呼応しているようにみえる。その意味では、彼女と親しい存在といえる。本人の内側と結びついているのだから、離れることはできない。『エリザベート』は、いずれも別世界の住人でありながら彼女を愛しており、別れることもできない二種類の帝王を相手にして、それでもなお自分の思いを貫こうとする女性の物語なのだ。

女性という異物

ミュージカル『エリザベート』は、ハリー・クプファー演出で一九九二年にオーストリアで初演されたものの、死をテーマにした同作と楽天的だった映画『プリンセス・シシー』三部作とのイメージの違い、君主のネガティヴな部分を描いたことなどから地元で反発もあったようだ。しかし、観客に受け入れられ、各国で上演されるようになった。オーストリア以外ではハンガリー、スウェーデン、オランダ、ドイツ、イタリア、フィンランド、スイスなどのヨーロッパ各国に広がり、アジアでも日本と韓国で人気の演目になっている。オリジナルの製作者側が他国での上演に関し、現地のファンにあわせた潤色をある程度許容したことが、そうした越境を容易にしたといえる。ネットにアップされた動画などをチェックすれば、国ごとに演出や舞台美術、衣裳、使用曲などに差があり、雰囲気に違いがあることがわかる。とはいえ、ミュージカルの本場といえるアメリカ、イギリスで受け入れられていない以上、人気はまだ限定的ととらえるべきだろう。そうしたなかで日本は、まず宝塚歌劇団、続いて東宝ミュージカルと二系統で繰り返し上演されてきた特異な経緯がある。どうやらこの国は、各国のなかでもとりわけ『エリザベート』が好きらしいのだ。

宝塚と東宝の両方でこの舞台の演出を長年担当してきた小池修一郎は、一九九四年にコンスタンティノープル大学に勤めるミンという東洋系の大学教授が来日し、この国の興行会社に『エリザベート』のパンフレットとCDを持ちこみ上演を薦めたという逸話を紹介していた。この教授が、東宝、劇団四季、ホリプロ、松竹などを回った後、どのように宝塚にたどり着いたのか。小池へのインタヴューによるとこうだ。

後年、そのときミンさんからの売り込みを受けた松竹の方に言われたのですが、お妃様の話ならばマリー・アントワネットのようなものだろうから、宝塚歌劇団なら興味を持ってくれるんじゃないかと、行くように勧めた、と(笑)。

(『ａｎ・ａｎ特別編集　ミュージカル　エリザベート　Anniversary Book 2000–2022』)

同教授が訪れたことをきっかけに宝塚歌劇団がウィーンに連絡をとり、上演交渉が始まったという。このエピソードは、興味深い。宝塚の代表的な演目『ベルサイユのばら』(一九七四年初演)の池田理代子によるる同名のマンガ原作は、フランスのルイ十六世の妃となったマリー・アントワネットと、男装の麗人オスカル・フランソワ・ド・ジャルジェという二人の女性を中心に展開する物語だった。

マリー・アントワネットはオーストリアの女帝マリア・テレジアの娘でありハプスブルク家の出身だが、

嫁ぎ先のフランスの宮廷生活になじめず、異物的な立場になった点がエリザベートと似ている。また、世間知らずのマリー・アントワネットが贅沢な暮らしをして、民衆の憎悪を引き寄せた。それを象徴するものとして、彼女に関しては「パンがなければケーキを食べればいい」発言が流布している（実際は別人の発言がとり違えられた。池田原作『ベルサイユのばら』にこのセリフはない）。『エリザベート』で皇妃が美容のためにミルクの風呂に入ることが、ミルク不足で苦労する庶民の反感を買うという、身近な飲食物をめぐる描写は、それに似ている。王室の抑圧からの自由を求めた彼女たちと、王権政治からの自由を求める大衆の認識の落差を大きな背景とするところが、二作には共通するのだ。エリザベートは旅の連続を気晴らしとし、マリー・アントワネットはスウェーデン貴族のフェルゼンとの不倫に救いを求めた。『エリザベート』が自由主義の台頭に足下を揺さぶられるハプスブルク家を描いたのに対し、『ベルサイユのばら』はフランス革命に向かう時代を舞台にした。激動のなかで、エリザベート、マリー・アントワネットは、彼女たちなりに国王の妃という自身の立場を自覚していく。だが、いずれも悲劇的な最期を迎えるのだ。松竹の関係者が『エリザベート』から宝塚を連想したのは自然なことだろう。

そもそも日本には、伝統が重んじられる皇室へ民間から嫁ぎ苦労した美智子、雅子という平成と令和、二代の天皇の妃について盛んに報じられてきた歴史がある。王家への嫁入りの話に親しみやすい土壌があるのだ。『エリザベート』で名をあげたクンツェ&リーヴァイは、後に東宝の企画で遠藤周作の小説『王妃マリー・アントワネット』を原作としたミュージカル『マリー・アントワネット』を作ってもいる（二〇〇六年日本初演）。また、後に小池修一郎も、フランス革命を題材としたフランスのミュージカル『1789 バスティーユの恋人たち』（二〇一二年初演）の宝塚版（二〇一五年初演）、東宝版（二〇一六年初演）の潤色・演出を手がけている。

宝塚が『エリザベート』に興味を示した背景には、同作に関連する人物を以前から舞台化していた経験も影響したのではないか。エリザベートの息子ルドルフの心中事件を題材にしたクロード・アネの小説『うたかたの恋』はたびたび映画化され、宝塚でも一九八三年に舞台化され以後も再演されている。エリザベート、ルートヴィヒ二世、ルドルフをモデルにした人物を配置した『恋人たちの肖像』(一九九一年)という作品も上演した。諸々の理由から『エリザベート』は格好の題材だったのだ。ここで特に注目したいのは、『ベルサイユのばら』でマリー・アントワネットと並ぶもう一人の主人公オスカルである。

軍人の貴族の家に六女の末娘として生まれたものの他に男児がおらず、父のジャルジェ将軍の後継者になるため、男として育てられたのが、オスカルだった。芸術を嗜むと同時に武術を身に着けた彼女は男装の軍人となり、近衛連隊長を務める。女性が軍隊に入り、自分たちの上官となることは、男社会である軍の伝統になかったことだと反発する兵士は少なくなかったが、オスカルは剣の実力とリーダーとしての資質で周囲を納得させる。やがて、衛兵隊に異動した彼女は、フランス革命に際し、民衆の側に立って戦い、命を落とす。父を深く尊敬し、姉たちと異なる男性的価値観を身に着けた彼女は、所属した場所の伝統にそぐわない異物として摩擦を招く一方、支持者を得て自分の立場を強めていく。だが、非業の最期を迎える。このように整理すると、オスカルの人生もまた、父から影響を受けて育ったエリザベートの人生と似た面を持つのが理解できる。エリザベートは、マリー・アントワネットとオスカル、二人の要素をあわせもったキャラクターなのだ。

『ベルサイユのばら』は宝塚の大ヒット作であるゆえに、一般的に宝塚らしい演目だと思われている。だが、そうともいいきれない。女性だけで演じる宝塚の芝居は通常、男役の格好よさを中心に作られる。劇中の男役は、理想の男性像を演じることで女性ファンを魅了する。『ベルサイユのばら』の後に舞台化され、やはりヒットして定番となった『風と共に去りぬ』のスカーレット・オハラのように強い女性の役を男役のスターが演じるケースはあるが、それはあえてのキャスティングであり通常運転ではない。しかも、やはり男役が演じる『ベルサイユのばら』のオスカルは、劇中で男装していても女性であることを隠してはいないし、男児を欲しがる軍人の家に生まれたこと、男ばかりの兵士たちのリーダーになることなど、女であることの居心地の悪さとむきあう場面が多い。いうなれば、自分がなぜ男性を演じるのかという自問自答を、男役が女性の役で演じる入り組んだ構造である。オスカルは「男装の麗人」と表現されるが、普段は舞台上で男性として振舞うのが普通である男役にとって、オスカルは「女装」ともいえる役なのだ。

一方、『エリザベート』で主人公の敵役となる皇太后ゾフィーは、息子の皇帝フランツに強い影響力を有し、オーストリアの政治に大きな発言権を持ったため、「宮廷でただ一人の本物の男」と評された。そんな宮廷に入ったエリザベートがなぜ異物あつかいされたかといえば、父親から受け継いだ自由な気風、乗馬や狩りを好み、動物に親しむ野性の感性を捨てなかったからだ。つまり、姑と嫁の対立は、二人の女性がそれぞれ抱える男性性に差異があったためと解釈できる。それを反映してか、この二人の女性を宝塚出身者が演じるのが恒例化している東宝版ミュージカルでは、歴代ゾフィー役の大部分を男役出身者が占めてきた。エリザベート役に関して近年は娘役出身者が演じているが（花總まり以降）、それ以前は男役出身者ばかりだった。東宝版初代エリザベートの一路真輝、二代目の涼風真世は、いずれも宝塚時代にオスカルを演じていた（涼風は後にゾフィーも演じた）。女性性と男性性のせめぎあいをそれぞれの形で抱えたエリザベート、ゾフィーの役柄からすると、そのようなキャスティングは、自然な判断だったと思える。

オスカルの場合、女性として男性（フェルゼン）に恋心を抱く展開もあるが、自らの気持ちを抑制することが多く、それが解放されるのは、時代の激動で死期が近づいたと自覚されてからだ。マリー・アントワネットの場合は、自分の感情を我慢できずフェルゼンとの不倫にのめりこんだことが、周囲の軽蔑や庶民の反感につながり、自分を追いつめた。一方、エリザベートは自身の美貌が、彼女を愛する夫を性的な魅力で動かすために、民衆の人気を得て政治的影響力を持つために、その政治的な力の獲得で夫への影響力をいっそう増すために有効だと気づく。各国の美女の写真を集めて研究し、様々な美容法や、体操だけでなく旅での早歩きも含め厳しいダイエットで美しさと若さを保つことで、ゾフィーに対抗する力を高めたのだ。それは自らの女性性を自覚することだが、姑が望んだような、伝統的な妃の枠組みに収まって礼儀作法を励行する控えめな女性性ではない。アントワネットは一人の男性との恋に溺れたが、エリザベートは、夫だけでなく大衆を味方につけようとして、女性性を暴走させた。皇太后はもちろん、皇帝も彼女の政治への介入を望んではいなかった。その意味でエリザベートの男性性だけでなく、女性性も宮廷にとって異物だったのだ。

とはいえ、男性性、女性性ととらえられていることは、国や時代、階層などによって異なり、変化する。例えば、『エリザベート』と同時代の出来事を描き、宝塚では同作に先行して人気演目になった『うたかたの恋』は、今観ると女性像に旧さを感じざるをえない。皇太子ルドルフが自由主義思想に傾倒し、父の皇帝フランツと対立するなかで陰謀に巻きこまれて追いこまれ、男爵令嬢マリーと心中するに至る。だが、国の行く末を憂うルドルフに比べ、マリーは身分違いの恋に心を燃やし彼に傾倒するばかりであり、国や政治に興味があるようではない。女性像としては、伝統に抗い自由を求めたエリザベートが、男女平等や多様性が称揚される現代にふさわしく人気が高まったのに比し、男に対し従順で控えめなマリーは、もう過去の理想像だろう。

守護神にしてストーカー

『ベルサイユのばら』と『エリザベート』の対比でさらにもう一点、興味深いのは、主人公の少女時代から影のように寄り添う存在がいることだ。女性だが軍人になるため男性のように育てられたオスカルには、アンドレ・グランディエが彼女を守ろうと傍に居続けた。彼はオスカルとともに育った幼なじみであり彼女に恋しているが、平民なので貴族との結婚は許されていない。このため、オスカルが誰かを愛したり愛されたりすると嫉妬し、いっそともに死のうと毒殺しかけて思いとどまったりする。やがてオスカルも彼の想いを知り愛しあうようになるが、革命の戦闘のなか落命してしまう。アンドレの場合、危険にさらされる軍人の道を選んだオスカルを守るべく、近くにいることを決意した。一方、トートは、いつかエリザベートから愛されるようになった段階で彼女を死へ引き入れるため、相手を見張り続ける。対照的なようだが、オスカルを守るつもりのアンドレが彼女を殺そうとしたこともあったわけだ。また、哀しい出来事に打ちのめされ死にたがるエリザベートに対し、「まだ自分を愛したとはいえない。死を逃げ場にするな」とトートが彼女を突き放す場面もある。彼らの出発点から外れるような心の揺れを示すのだ。それぞれ長く続く二者の関係力学には、近しい構造がうかがえる。

そもそもトートは死神的存在ではあるものの、少女時代に高いところ（ヴァージョンによって木登りだったり、綱渡りだったりする）から落下し、死にかけたエリザベートを愛してしまった。このため、命を救った時から彼女につきまとうようになった。以後は、死にふさわしいタイミングを狙い続けるのだ。逆にいえば、彼が認めなければ彼女は死ねない。その意味で守護神的であると同時にストーカー的でもある。アンドレがオスカルを毒殺しかける場面によって、彼はいつでも相手を殺せるほど彼女と身近な存在なのだと観る者が気づかされるのと相似的だ。守護神でありつつ狂的なストーカーでもあるようなキャラクターは、本書がこれまで論じた異様な者のなかにもいた。『オペラ座の怪人』のファントムは、クリスティーヌにとって歌を指導してくれる父親代わりの「音楽の天使」でありながら、彼女を愛するゆえに凶事を引き起こす悪人だった。『人魚姫』の主人公は、溺れた王子を助けたが、異種族の彼を愛してしまい人間になろうとしたため、生まれもった魚の下半身を捨てた。彼らは愛した相手を守ろうとしつつ、恋に熱狂し尋常ではない行動に走る。

そうした物語の構造を踏まえたうえで想起されるのは、日本で『エリザベート』を演出することになった小池修一郎が、同作以前に似た構造を持つ演目を手がけていたことだ。彼は、宝塚歌劇団で一九九二年にウィリアム・シェイクスピア『真夏の夜の夢』をもとにした『ＰＵＣＫ』の作・演出を担当した。同作では、妖精が見える「セカンド・サイト」の能力を持つ少女ハーミアに見つかった妖精パックが、彼女に恋をする。だが、大人になったハーミアが「セカンド・サイト」を失う一方、人間を愛してはいけないという禁忌に反したパックは、妖精の王から罰として声をとりあげられ、人間にされる。もし、声を出せば、さらなる罰で記憶を失うのだ。ハーミアの近くにきたけれど話せない彼は、自分がパックだと認識してもらえない。しかし、彼女の窮地を救うため、彼は禁を破り、歌い始める。パックが妖精である間は、他の人たちには見えないのに「セカンド・サイト」を持つハーミアだけは彼を認識し互いに強く魅かれあう。成長した彼女が能力を失っても、心にはパックへの想いが残り続け、周囲の男性から向けられる恋愛感情に本気になれない。

異類である妖精が、人間界に移り住む過程で声を奪われる展開は『人魚姫』と近い。だが、コミュニケーションの幅を制限された人魚姫が追いつめられていくのとは異なり、誰とも話せないパックは、それゆえにかえって他の人々を客観的にとらえることができるという風に描かれている。彼は、ハーミアをとり巻く陰謀に気づくのだ。異類であるがゆえに人間界を俯瞰的に見られること、一人の人間を愛したために異類としての自分の立場に反することをしてしまうこと。この大枠は、救いをもたらすパックを破滅へ導くトートに裏返した形で『エリザベート』と通底する。

また、小池の宝塚大劇場での演出デビュー作は、ゲーテ『ファウスト』第一部をアレンジした『天使の微笑・悪魔の涙』(一九八九年)だったが、同作に登場した堕天使メフィストフェレスを主役にしたスピンオフ作品『ロスト・エンジェル』(一九九三年)は、ゴシック的な世界観、ホラー的な設定の点で『エリザベート』の先駆け的な内容を持っていた。人間と悪魔の契約という『ファウスト』の設定を受け継ぎつつ、魔性の存在が音楽の世界を夢見る若者たちを操る物語は、『オペラ座の怪人』に通じる部分もある。注目すべきは、『ロスト・エンジェル』では物語に沿った日本語詞に書き変えて、『エリザベート』の四曲(「私を燃やす愛」、「私だけに」、「最後のダンス」、「闇が広がる」)が使われていたことだ。小池は一九九二年十二月にロンドンのCDショップで老店主に薦められ『エリザベート』のCDを購入したのが、同作との出会いだったという(『オール・インタビューズ　ミュージカル『エリザベート』はこうして生まれた』)。付属したドイツ語の解説が読めず、物語の内容を把握しないまま気に入った曲を『ロスト・エンジェル』に使用。その許諾をとる際にエリザベート皇妃の話だとわかり、実際にウィーンで舞台を観たのは、一九九四年二月だったと話している。だが、今ふり返ると、メフィストに黒い羽根があるなど、『ロスト・エンジェル』はヴィジュアルも雰囲気も『エリザベート』と近しい要素が散見されるのだ。

小池は他にも宝塚で、ドラキュラをモチーフにした『蒼いくちづけ』（一九八七年）など、異界の者と人間との恋愛を舞台化した経験を積んでおり、日本版『エリザベート』の演出にふさわしい人材だったといえる。また『PUCK』、『ロスト・エンジェル』の主演だった涼風真世は、東宝版の二代目エリザベートとなっている。だが、小池は当初、『エリザベート』の宝塚での上演には難しさを覚えたと複数のインタヴューで語っているのだ。難しさの一つは宝塚が男役中心の劇団であること、もう一つはオーストリアの歴史が日本人にはわかりにくいことである。男役第一の宝塚では『ベルサイユのばら』に関し女性のオスカルだけでなく、男性のアンドレ、フェルゼンが主人公のヴァージョンも作り、『風と共に去りぬ』でもスカーレットだけでなくレット・バトラーを主役にすることをしてきた。むしろ、男性主人公の方が、宝塚では普通の形だ。

宝塚では雪組の男役トップスターだった一路真輝の卒業公演として『エリザベート』のトート役を考え、ウィーン側と契約交渉をした。だが、同作の主人公はタイトルとなった女性である。このため、トップスターになった後、『風と共に去りぬ』でスカーレットという女役での主演を経験していた一路は、卒業公演でエリザベート役を演じるのもありかもしれないと考えたという（『オール・インタビューズ　ミュージカル『エリザベート』はこうして生まれた』）。だが、結果的に宝塚側の要望が承諾され、主役になったトートの出演場面が増やされた。エリザベートに恋した心情を表現する「愛と死の輪舞」など、歌う曲も多くなった。そして、一路は宝塚でトートを、東宝でエリザベートを演じたのだった。一路のトートを相手にエリザベート役を務めた花總まりは、後に東宝版でも同役を演じている。

また、オーストリアやハンガリーの政治状況が日本の観客にわかりやすいように、革命家の登場場面を増やすなど、日本では脚本が加筆整理された。これら二点の変更はべつのものではなく、関連している。オリジナル版トートは、基本的にエリザベートと息子ルドルフとしか結びついておらず、皇妃の幻想のようにも解釈できた。一方、自由主義運動の描写が増えたことで、運動にかかわったルドルフの悲劇的キャラクターに奥行きができた。加えて、革命家たちの場面にトートが居あわせるようにして、彼が単に個々人にまとわりつく死神ではなく、一つの時代の終焉に立ち会う黄泉の帝王というイメージを強めたのだ。以後の海外版や東宝版は、エリザベートを主役としながらも「愛と死の輪舞」など宝塚版の一部をとり入れている。

肉体的な性やジェンダーの超越

しかし、主人公の交替、歴史描写の増加といった改変以上に大きかった宝塚版の特色は、当たり前の話だが、男女ではなく女性だけで演じることだ。主人公をトートにしたうえで、彼を男性ではなく女性が演じる。その意味は、大きい。人間とは違って肉体を持たないトートは、男女の性を超越した存在である。次期皇帝への道を父に閉ざされ、母からも救いの手を得られなかったルドルフが絶望して自ら命を絶つ瞬間、トートと彼はキスする。エリザベートがルキーニに刺され死ぬ時にも、トートは彼女に口づけするのだ。彼は地上的なセックスやジェンダーを超えた存在であり、その浮遊感を演じるのに、宝塚の男役＝女性はふさわしかったといえる。

インタヴューで小池は、オリジナル版の台本ではトートに関して「現代のポップスターのようなアンドロギュノス」と書かれていたといい、次のように語っていた。

クンツェさんの世代的に、デヴィッド・ボウイに代表される長髪で派手なメーキャップをして、わざと女性的でケバい格好をするグラムロックのムーブメントがあって、トートもその方向でイメージされたキャラクターだということです。

（『ａｎ・ａｎ特別編集　ミュージカル　エリザベート　Anniversary Book 2000–2022』）

『エリザベート』の音楽はクラシック調にロックが混じるものであり、トートに関しては一九七〇年代に流行したグラム・ロックの影響があるというのだ。ハード・ロックのようにマッチョを強調するではなく、グラム・ロックでは、デヴィッド・ボウイ、T.レックス、ロキシー・ミュージックなど男性が化粧をして着飾り、両性具有性を誇示した。本書ですでに論じた作品でいえば、『リトル・マーメイド』の悪役アースラが、ドラァグ・クイーンにヒントを得て造形されたことに少し近い。見た目やふるまいにおける過剰な女性性で特徴づけられるドラァグ・クイーンは、自らの男性性を消去したいと望んでそうすると解釈できる。アースラは、海を統べるトリトン王にとって代わりたいという支配欲を抱えている。その支配欲という男性性を隠蔽するため、女性的媚態を過剰に自己演出しているキャラクターなのだ。それを裏返したような存在が、「宮廷でただ一人の本物の男」と称される『エリザベート』のゾフィー皇太后だろう。彼女は我が子を愛する女性性と権力者の自覚という男性性をあわせ持っている。そのうえで政治力をふるう男性、その支配下で従順な女性というような伝統が定めた性役割に、フランツとエリザベートの息子夫婦、孫のルドルフをそれぞれはめこもうとするのだ。

ゾフィーの両性具有性は、その時代において社会的・文化的に形成された性（ジェンダー）を背景とした男性性と女性性の融合である。自由な気風の父の影響を受けて育った一方で美貌という女性の武器を自覚したエリザベート、母ゾフィーの抑圧下で彼女が要求するほどには強くなれないフランツという風に、『エリザベート』は男性性と女性性の相克が、物語を動かすエネルギーになっていた。エリザベートが主人公のオリジナル版からトートが主人公の宝塚版へ、その改変を踏まえたうえでエリザベートを主人公とする東宝版へ。各国版を含めリアレンジを繰り返すことで男性性と女性性の相克は、いっそう鮮明になったように思う。そうした力学の物語だからこそ、両性の性格をあわせ持つゾフィーが、エリザベートの強敵となる。だが、ゾフィーの両性具有性は、あくまで社会、文化、時代によって形成されたジェンダーを前提とした地上的で人間的なものにすぎない。それに対しトート＝死は、人間界の位相に属さず、肉体的な性や社会的なジェンダーを超越するのだ。

興味深いのは、トートというキャラクターのルーツの一つと目されるグラム・ロック期のデヴィッド・ボウイが、死のイメージをまとっていたこと。彼のグラム期を代表するアルバムは、宇宙から来訪した救世主のロック・スターが栄光を獲得するがステージ上で自殺するという内容の『ジギー・スターダスト』（一九七二年）だった。このコンセプトをもとに行われたツアーでは、最終曲「ロックンロールの自殺者」

にむけてライヴ全体が構成され、「僕の死がそこで待っている」と歌う「マイ・デス」（ジャック・ブレル「私の死」の英訳版）のカヴァーも選曲された。『エリザベート』の場合、トート＝死が、エリザベートからの愛を長年待ち続け、ついに成就する。

ユニセックスの宇宙人を気どっていた当時のボウイは、ファンにとってセックス・シンボルでもあり、ステージ上ではバンドのギタリストを相手に性的ほのめかしを含んだアクションもして見せた。性的衝動（エロス）と死への衝動（タナトス）は表裏一体だとするフロイト理論を体現するようなロック・スターだったのである。トートについても、肉体的な性を超越したキャラクターでありつつ、なお性的な存在でもあることを示唆するところがある。宝塚は「清く正しく美しく」を旨とする女性だけの歌劇団であるゆえ、あからさまな性描写は避けられている。『エリザベート』のオリジナル版では、主人公が性病になったことでフランツが自分以外と肉体関係を持ったことを知るが、宝塚版では彼女は夫の浮気をトートに教えられ、ショックを受けると脚色されている。それに対し、一九九二年のウィーン公演を収録した『エリザベート』のDVDを見ると、フランツと結婚した直後のエリザベートにトートが自身の愛の強さを歌う「最後のダンス」で、ドレスを着た彼女の股の間に彼が体を入れるエロティックな振付が含まれている。フランツとの間に複数の子どもをもうけつつも、旅ばかりしていたエリザベートは、夫と同衾しない期間が長かっただろう。その彼女につきまとうトートには、夢魔（夢のなかで性的接触を図る悪魔）的な要素もうかがえる。

息子ルドルフの自殺後に喪服を着続け、再びの愛を誓って帰ってくるように求めるフランツを受け入れなかったエリザベートは、とうとう死の時を迎える。ルキーニは、トートから渡された刃物で彼女を暗殺するのだ。ルキーニが、トートに代行してエリザベートの肉体を突き刺すことで、二人の愛がようやく成就する。ここには性的暗喩が感じとれる。本書でとりあげた作品というと、フケー『ウンディーネ』では、自分との愛を裏切った騎士フルトブラントの命を奪うため、水の精が彼にキスをした。そこには、恐怖とともに彼の最期の性的歓びも感じられたのではなかったか。二人の会話はこう書かれていた。

「おまえの口づけを受けて死ぬことが許されるなら」
「喜んで、あなた」そうウンディーネは返しました。

（『水の精』）

フケーはそのキスを「彼女はこのうえなく甘美な、天使の口づけで彼の唇をおおい、彼を放そうとしませんでした」と書いていた。ルキーニに刺された直後のエリザベートとトートのキスには、死と性が混然となった同種の陶酔が感じとれる。人間界から死の世界へ移行したエリザベートは、トートの異類であることをやめ、同質化する。

それに対し、面白いのは、エリザベートがフランツへの発言権を強めた時期にゾフィーが家臣と相談し、彼女と息子の仲を裂こうとしてフランツに娼館の女をあてがうことを決めてからの小池の宝塚版演出だ。揃えられた娼婦たちのうちで、フランツが関係を持つ相手は、人魚に扮している設定なのだ。彼女は着ていた魚の下半身を脱ぎ捨て、人間の姿となって彼に寄り添う。エリザベートがトートという異界の存在と関係するのに比べ、フランツは『人魚姫』という異類婚姻譚のパロディの形で浮気をする。それは、国家の最高位の皇帝と娼婦の身分差を異類に喩えたように感じられる。同時に、異界の存在と通じあうエリザベートとは対照的に、まがいものの異類婚姻譚によって、かえって人間界の枠内でしか考え生きることのできないフランツの矮小さが、浮き彫りになるエピソードでもあるだろう。その結果、夫と反比例して、トートがより魅力的に感じられることになるのだ。

先に触れた「最後のダンス」ではトートが、エリザベートと最後に踊る相手は夫のフランツではなく、この俺だと主張した。それに対し、エリザベートに関しては、ゾフィーと対立し、フランツに自分の方の要求を受け入れさせる過程で歌う「私だけに」がテーマ曲的な位置にある。私は誰のものでもなく、私だけのものだと自らの意志を確認し、トートの介入もしりぞける内容だ。支配しようとするトートと自由であろうとするエリザベート、彼女を懐柔しようとするフランツという三者の力関係で物語は進む。エリザベートの立場は、踊らされるか、自ら踊るかということに象徴的に表現される。

ヨーロッパでは、死を前にした人々が恐怖とともに踊り続ける「死の舞踏」の寓話が十四世紀から十五世紀にかけて流布し、それをモチーフにした絵画が多く残された。絵画には擬人化された死が登場し、平民も王など高貴な者も身分に区別なく、人間が踊りながら墓へとむかっていく様子が描かれた。死の擬人化では、病に伏した少女と死神の対話を歌曲にしたフランツ・シューベルト「死と乙女」（一八一七年）も知られている。同曲では少女に死神が、「私は友だちです」、「私の腕のなかで休みなさい」と呼びかける。エリザベートとトートの関係に含まれる要素を、この先行作品に見出せるだろう。また、『ウンディーネ』のように男性ではなく女性が死に誘う側であり、しかも舞踏と結びついた作品としては、『新約聖書』のエピソードをもとにオスカー・ワイルドが戯曲化した『サロメ』（一八九三年）が思い浮かぶ。同作では、ヘロデ王の囚人となった預言者ヨカナーンに、王女サロメが求愛したものの、その淫蕩さゆえに拒絶される。だが、継父である王にダンスを要求されたサロメは褒美にヨカナーンの首を要求し、七つのヴェールの踊りを披露してそれを得る。切られて銀の皿に載せられた預言者の首にキスする場面は有名だ。

ああ！　わたし、お前の口唇にキスしたよ、ヨカナーン。お前の口唇にキスした。苦いのね、お前の口唇って。血の味なの？……ううん、ひょっとすると、恋の味なのかも。恋って、苦い味がするって、よく言うから。

（『サロメ』）

娘の所業に恐怖を覚えたヘロデは、サロメの処刑を命ずるが、この展開には死と性が一緒になった歓喜の高まりが感じられる。以上のような死の擬人化、死と舞踏や音楽の結びつきというヨーロッパの文化的伝統のうえに『エリザベート』は構想されている。

「私だけに」と「俺だけに」の相克

エリザベートを題材にした作品としては、オーストリア、イタリア、ドイツ製作のテレビ・シリーズ『エリザベート　愛と哀しみの皇妃　Sisi』（二〇〇九年）、Netflix で配信されたドイツ製作のドラマ『皇妃エリザベート　The Empress』（二〇二二年〜）もあった。オーストリア＝ハンガリー帝国が成立し、ヨーゼフとエリザベートが国王、王妃として戴冠式を迎えるまでを描いた前者は、『プリンセス・シシー』三部作の方向性に近く、後者は史実から離れ宮廷の陰謀劇をモチーフにした内容だ。

また、過去と異なるエリザベート像の創出という点で興味深い近年の作品としてはオーストリア映画『エリザベート１８７８　Corsage』（二〇二二年。監督・脚本マリー・クロイツァー）があげられる。エリザベートが四十歳となった一八七八年の一年間に物語を絞りこむことで、彼女の人生とキャラクターを鮮やかに造形している。容色の衰えに過敏になる一方、夫や宮廷の束縛に抗い、自分の影武者を立てるなどして自由に行動しようとする姿が印象的だ。エリザベートが国際情勢について発言し、ヨーゼフから政治に口を出すなと叱責されても、素直に黙らずテーブルを拳で叩き、むしろ夫をひるませる。エリザベートを題材にすることをマリー・クロイツァーに持ちかけた主演のヴィッキー・クリープスは、インタヴューで述べていた。

撮影しているときよく思ったんです。当時できなかったことをすべてできるチャンスを彼女に与えているんだ、と。タバコを吸うこと、中指を立てること、髪を切ること。

（『エリザベート1878』日本版パンフレット）

映画の原題『Corsage』は、過酷なダイエットでスリムだったエリザベートをさらにしめつけるコルセットのことを指している。彼女への束縛を象徴するものだ。一方、劇中では、冒頭で水風呂に浸かっているほか、月夜の湖でルートヴィヒと湖で戯れたり、プールで泳ぐなど水のなかにいるシーンがしばしば出てくる。締めつけることなくエリザベートをとり囲み体を浮かせる水は、コルセットとは対照的なものだ。ゆえに自由を暗示するようでもあるが、水は常に心地よい温度とは限らないし、頭までずっと沈んだままならば命を奪う。映画のラストに現れている通り、死への誘惑も含んだものなのだ。したがって『エリザベート1878』の水は、エリザベートに死と束縛からの解放をもたらすトートに通じる意味を有していたといえる。このことを踏まえても、クンツェ脚本『エリザベート』のトートは、エリザベートがいかなる存在かを描くうえで効果的な存在だったたと考えられる。

同ミュージカルでは「最後のダンス」でトートがエリザベートへの支配欲を歌い、「私だけに」でエリザベートがトートにもフランツにも縛られない自由への思いを歌ったが、両者の思いがぶつかる曲が、「私が踊る時」だ。同曲は二〇〇一年のドイツ初演から加えられた曲だが、エリザベートとトートのせめぎあいがよく表現されている。ドイツ語版から抜粋して訳す(Eはエリザベート、Tはトート)。

E　人形のごとく踊らされた私
　　でも自分の道を見つけた
　　踊りたければ　思うまま踊る
　　時間も音楽も私が決める
　　踊りたければ　私だけのやり方で　踊る
　　あなたの目の前で

T　黒いカモメよ、飛べ　E　私は飛ぶ
T　私だけと　E　一人きりで
T　夜も嵐も共にいよう
E　もう同行者はいらない　あなたもいらない

もう導かれはしない

T　おまえは俺のおかげで自由になれる

E　私だけで十分

T　俺だけが

E　私さえいれば

私が行く道を通してちょうだい

E　私は人生を愛し始めた

T　すぐに憎み始めるさ

ET　踊りたければ　思うまま踊る

時間も音楽も私が決める

踊りたければ　私だけのやり方で　踊る

この世が終わる時でも

あなたの目の前で

ET　踊りたければ　踊りたい相手と踊る

私だけで決める

（筆者訳）

同曲でエリザベートは、踊る相手は自分が選ぶと宣言しているが、それ以前に宝塚版の「私だけに」では「話す相手　私が選ぶ」とも歌われていた。対人関係における自由という問題設定は、実はロミー・シュナイダー主演のシシー三部作の第二作『若き皇后シシー』にもあった。ハンガリーに敵意を抱くゾフィーに対し、親ハンガリーのエリザベートは、舞踏会において同国の恩赦された政治犯と皇妃の立場で踊り、皇太后を怒らせる。エリザベートは、踊る相手を自分で選んだのだ。ハッピーエンドの明るいエンタテインメントとして作られたシシー三部作にもあった束縛への反抗、自由への希求というモチーフを、死というシリアスで重いテーマをからめ、エリザベートの物語を再構成したのが、クンツェのミュージカル版だった。この作品では、引用した歌詞の「黒いカモメ」のように鳥が自由の象徴としてあつかわれる。また、父から自由を教えられたエリザベートは、人間界にはない自由に誘うトートに父の面影を重ねた部分がある。『オペラ座の怪人』でファントムが、クリスティーヌにとって魔界へ引きこもうとする存在であると同時に、亡き父の再来のようでもあったことが思い出される。

小池修一郎は、舞台はハプスブルク家の霊廟が演出コンセプトだったと語っている。宝塚版も東宝版も、オリジナル版以上にゴシックな印象が強まっている。ただ、宝塚で『エリザベート』を初演した際、卒業公演という晴れやかであるべき演目で男役トップスターが死を演ずることには、批判の声があったという。これに対して有益な示唆を与えてくれるのが、中本千晶『宝塚歌劇は「愛」をどう描いてきたか』（二〇一五年）だ。同書では、華やかな衣裳と舞台で歌い踊り、愛をテーマとする宝塚はハッピーエンドのイメージがあるかもしれないが、実は愛しあう二人の片方か両方の死、あるいは別離といった悲劇的結末が多いと指摘する。暗い印象を残さないのは、「タカラヅカ流・愛の方程式」があるからだという。例えば、愛しあう二人が別れ遠く離れても、たとえ死が訪れても、心は結ばれているように結末で描かれるからだと中本は分析する。この見方は、死をエリザベートの恋人と設定すれば、最後に両者が結ばれ、彼女の暗殺をハッピーエンドにできるとしたクンツェの発想とも重なる。

特に宝塚の場合、歌入り芝居の第一部、歌とダンスで構成する第二部という上演形式が通常であり、第一部・第二部を通して演ずる大作の場合でも、物語の後にその作品をテーマにした短いショーが加わるのだ。『風と共に去りぬ』で別離したスカーレットとバトラー、『ベルサイユのばら』のいずれも命を落としたオスカルとアンドレも、ショーでは別の世界で愛を成就したごとく二人で踊る。もちろん、『エリザベート』に関しても、宝塚では物語後のショーでトートとエリザベートを演じた二人が、ダンスを披露する。「タカラヅカ流・愛の方程式」に当てはまるようだ。だが、面白いのは、中本がそうではないとしていることである。

それではシシィとトートの「二人の心は結ばれている」のかというと、別にそうでもない。この点でも「エリザベート」には「愛の方程式」が当てはまらない。もっとも「シシィは表面的にはトートを拒絶し続けているが、じつは心の奥底では常に『死』を求め続けていたのだ」といった哲学的な解釈をすれば、より深い次元で「愛の方程式」が当てはまるということになってしまうのだが。

（『宝塚歌劇は「愛」をどう描いてきたか』）

エリザベートは、言葉の上では自分の自由を求める「私だけに」の姿勢をとり続けている。だが、ルドルフが自殺し、彼女が最も辛かった時期に死を望むと、トートは「死は逃げ場ではない」と拒絶したのだ。高所から落ちた少女期のエリザベートに恋して、彼女を死から救ったトートは、生きる彼女に愛されたいとの願いを抱いて追い続ける。彼女の生に執着するトート＝死と対になるキャラクターなのだから、物語の構造や人物関係の力学からしても、エリザベートは「奥底では常に『死』を求め続けていた」人物ととらえる方がいい。自由に生きたいのに皇妃という息苦しい立場から逃れられず、死の願望を抱いたのだと。それは、哲学的解釈というより、エロスとタナトスをめぐる精神分析的解釈で造形されたキャラクターというべきだろう。『エリザベート』には、主人公が精神病院に慰問へ行き、自分こそ皇妃だと主張して拘束される女性患者と遭遇する一幕がある。エリザベートは、患者は拘束されても魂は自由だとして、自分と替われるものならと考える。このくだりもそうだが、同作には精神分析的解釈を誘うところがある。芝居冒頭の煉獄の裁判でルキーニは、皇妃暗殺の理由を「本人が望んだんだ」と彼女の死への欲求を答えていた。だが、煉獄の裁判官が納得せず、事件を再検証するごとく過去が再現される。隠された無意識を掘り返すように。

ただ、たとえそうだったとしても、トートがルキーニに刃物を渡したタイミングの前に、トートが生きるエリザベートから本当に愛されたと観客が明確に感じられるエピソードは見当たらなかった。その意味では、「愛の方程式」に当てはまらないという中本の見方も理解できる。ここからは物語の終盤に関して、基本的に各ヴァージョンに共通するところに触れながら考察したい。暗殺前の目立つエピソードといえば、旅先にいるエリザベートのところへフランツが訪れることだ。夫は妻に自身の変わらぬ愛情を伝え、帰ってきてほしいと訴える。彼女は、それは無理だという。とはいえ、デュエット中に二隻のボートは二つのゴールを目指すしかないと彼女が心情を語る「夜のボート」は、穏やかなバラードだ。エリザベートはフランツから愛され思いやられていることを知りつつも、愛しあうことの不可能を告げる。相手を理解しつつ拒絶する彼女には、諦念がうかがえる。この後、煉獄でどちらがエリザベートに愛されているか、フランツとトートが言い争う場面があるが、生きるエリザベート自身がトートを真に愛し始めたと、明確に意思表示することはない。だが、孤独が深まり、新たな望みがあるわけではない彼女が、死を受け入れる準備は整ったと、観客が納得する状況にはなっている。

もう一つ注目したいのは、エリザベートが自身の見た目が武器になると自覚し、美容やダイエットに励んでいたことだ。彼女はそれによって夫だけでなく大衆を魅了し、政治的な力を得た。だが、ルドルフの自殺以降は黒い喪服で通し、以前にも着けることがあった顔のヴェールは垂らしたままになる。もちろん息子を悼んでのことだが、それは、加齢に伴う容色の衰えを自覚する時期と重なっている。自分のイメージを守るため、エリザベートはカメラを嫌った。実際、撮られそうになった時に扇子で顔を隠した写真も残っている。物語後半では、そうした老いもテーマとなる。したがって彼女の晩年のヴェールは、喪に服すだけでなく、老いた顔をさらしたくないことも理由だっただろうと推察される。

しかし、大衆の人気を左右する美貌や若さと関係なく彼女を愛し続けたのが、フランツとトートだった。「夜のボート」におけるフランツのあらためての求愛は、歳を重ねた大人らしい落ち着きがあったし、二人にも老夫婦らしい安寧という選択肢はあっただろう。だが、彼女はそのような老成を拒んだ。一方、異界の存在であり歳をとらないトートは、エリザベートの加齢に頓着せず、出会った少女時代と変わらず晩年の彼女も愛する。彼は、時間を超越しているからだ。そのように主人公を愛する二人が加齢を忌避せず、物語後半ではルッキズムが締め出される。彼女の容色を衰えさせ、やがて行動や思考の自由闊達さをも奪うであろう老いから、死が彼女を救う。史実としてエリザベートが死んだのは、六十歳だった。

ルキーニに刺されたエリザベートは、顔のヴェールをとり払い、喪服を脱いで白い衣裳となる。若返った姿で現世から離脱し始めた彼女は、同じく白い装いのトートに抱かれ、「私だけに」の変奏（「愛のテーマ」）をデュエットする。彼女は、黄泉の世界で自由に安らげると死を肯定的に受け入れる。だが、宝塚版の歌詞の最後が「決して終わる時など来ない　あなた／お前の愛」という相思相愛で先述の「愛の方程式」に当てはまるものだったのに対し、東宝版も準拠する本来のヴァージョンは違う。「私が踊る時」と同様にエリザベートの命について本人は「私だけのもの」、トートは「俺だけのもの」と同時に歌い、彼のキスで彼女は息絶える。抱きあい口づけする二人の愛は成就したかのようでいて、それぞれが自分の権利を主張し、意識はずれたままとも思える結末なのだ。この矛盾を含んだ幕切れが、複雑な印象を残すところに『エリザベート』の真の面白さはある。

作品リスト

［小説］

藤本ひとみ『皇妃エリザベート』2008年

［映画］

エルンスト・マリシュカ監督『プリンセス・シシー』1955年
出演：ロミー・シュナイダー、カールハインツ・ベーム

エルンスト・マリシュカ監督『若き皇后シシー』1956年
出演：ロミー・シュナイダー、カールハインツ・ベーム

エルンスト・マリシュカ監督『ある皇后の運命の歳月』1957年
出演：ロミー・シュナイダー、カールハインツ・ベーム

マリー・クロイツァー監督『エリザベート 1878』2022年
出演：ヴィッキー・クリープス、フロリアン・タイヒトマイスター

［ミュージカル］

シルヴェスター・リーヴァイ作曲、ミヒャエル・クンツェ作詞
『エリザベート』1992年

［関連作品］

マンガ

池田理代子『ベルサイユのばら』1973年

宝塚歌劇

小池修一郎作『PUCK』1992年

小池修一郎作『ロスト・エンジェル』1993年

池田理代子原作『ベルサイユのばら』1974年

戯曲

オスカー・ワイルド『サロメ』1893年

終章　「異様な者と出会う物語」の周辺

個人に伝染する集団の狂気

獣に変身させられた者、生まれついての醜形、人間とは違う種族、人間にはない能力を持つ者、この世のものではない存在……。本書では、人がそのような異様な相手と出会い、愛情を抱くストーリーがどのように語られてきたかを考察してきた。見る者を恐怖に陥れる姿、常人には不可能な力の保有などで特徴づけられる彼らには、人間同士の違いに収まらない（ととらえられる）差異があることが強調される。逆にいえばそれらの物語は、主人公に極度の醜さや超能力など特殊な属性を付与することにより、もともと現実世界に存在する人と人の差異を誇張し、ドラマチックに表現したとも受けとれるわけだ。属する世界が異なる者同士が、恋に落ちる。結ばれないはずの二人が接近したために、周辺でトラブルが起きる。この展開は、「異様な者と出会う物語」の数々に共通するが、普通の人だけが登場する内容でも、本来なら結ばれそうにない二人が結ばれてトラブルが発生する展開は、旧くから好まれてきた。

家同士が敵対しているのに、両家の若い息子と娘が恋に落ちるシェイクスピア『ロミオとジュリエット』は代表的作品だし、『ウエスト・サイド・ストーリー』は同戯曲のコアな部分を残しつつ、舞台を現代に移しアレンジしていた。また、国力や経済の面で優位にある西洋の男性が、東洋の女性と一時的に結ばれ罪作りな結果を残すという落差のある恋愛関係もお馴染みであり、ジャコモ・プッチーニのオペラで知られる『蝶々夫人』からミュージカル『ミス・サイゴン』へと受け継がれている。普通の人同士であっても、互いが互いにとって異物であるような関係を対象にした物語は、「異様な者と出会う物語」において怪物のごとき容貌や身体能力、超能力といった主人公ペアの差異を拡大する設定が導入される段階に至らない、原型的な性質を有しているととらえられるのではないか（ここでは作品間の直接的な影響関係は問うていない。物語の〝型〟を比較考察しようとしている。ゆえに各作品の発表時期の前後は重視しない）。そのような観点から、本章ではまず、『ウエスト・サイド・ストーリー』について考察してみたい。

十六世紀末に書かれた『ロミオとジュリエット』では、キャピレット家のジュリエットとモンタギュー家のロミオという対立する二家の若い男女が、恋愛関係になる。だが、二家の争いで親友を殺され逆上したロミオは、ジュリエットの親族を殺してしまう。その後、身を隠したロミオには、ジュリエットに関するメッセージが届けられるはずだったのにアクシデントで伝わらない。ゆえに二人に悲劇が訪れる。それに対し、一九五七年に初演された『ウエスト・サイド・ストーリー（ウエスト・サイド物語）』（原案ジェローム・ロビンズ、脚本アーサー・ローレンツ、音楽レナード・バーンスタイン、作詞スティーヴン・ソンドハイム）は、シェイクスピアの戯曲の構図を現代のニューヨークにおける若者グループの抗争へ置き換えた。プエルトリコ系のシャークスのリーダーを兄に持つマリアと、欧州系のジェッツのリーダーと親友であるトニーが、運命の出会いをするのだ。仲間意識が強いグループ同士が敵対しているゆえの緊張感、周囲から歓迎されず許されない恋に落ちた二人を苦しめる人間関係のしがらみ、両グループそれぞれに死者が出たことでのしかかる絶望感。ミュージカルとして歌やダンスに魅力があると同時に、物語としての吸引力の多くはシェイクスピアに由来する。

この作品は、ロバート・ワイズとジェローム・ロビンズの監督による一九六一年の映画化で広く知られるようになり、二〇二一年にはスティーヴン・スピルバーグ監督でリメイクされた。今の視点から一九六一年版の映画を観て驚くのは、『ロミオとジュリエット』という古典の枠組みを借りながらも、生々しい現代性が感じられる点だ。人種間の対立、移民の貧困、ジェンダーの不平等といったスピルバーグのリメイク版で目につく今日的モチーフの多くは、六十年以上も前の映画にすでに盛りこまれていた。それは、長い年月が経過しても、諸問題が解消されないために物語が古びない皮肉な現実を示してもいる。

新旧の映画二作を見比べて興味深かったのは、ラストの悲劇につながる恋人宛てのメッセージが不達になる経緯のアレンジだ。もともとの『ロミオとジュリエット』では、伝染病の流行が原因とされていた。それに対し『ウエスト・サイド・ストーリー』では、マリアが兄ベルナルドの恋人アニタにトニーへのメッセージを託す。だが、シャークスのリーダーであるベルナルドは、ジェッツのリーダーであるリフを殺したため、リフの親友のトニーに殺されたのだ。複雑な思いを抱えつつ、マリアを気遣うアニタはジェッツのたまり場の店を訪れる。だが、敵グループの男たちは、彼女を襲おうとする。怒ったアニタは、「マリアは殺された」と嘘をつく。そこには自分の恋人がトニーに殺されたことへの怒りの感情も含まれていただろう。彼女の嘘の言葉が伝わったためにトニーは自暴自棄な行動に走り、悲痛な結末につながる。一方、ジェッツでは、女でありながら男集団の一員であろうとするエニーボディズが、仲間から馬鹿にされていた。彼女は、男集団ととり巻きの女たちという慣習的な区分けに従わないからである。だが、エニーボディズは、トニーが銃を持つ男に狙われているという情報をもたらすことで、ようやく仲間の男たちに認められるのだ。

『ロミオとジュリエット』では集団同士の対立と、集団の規範と個人の感情の齟齬が語られたのに加え、『ウエスト・サイド・ストーリー』では、男と女の意識の違いもクローズ・アップされる。スピルバーグ版はその点をさらに明確にし、アニタがジェッツの男たちに弄ばれそうになる際、彼らの仲間の女たちが止めようとする場面が挿入された。また、男たちの暴走を制止する店主は、一九六一年版では男性だったのに対し、スピルバーグ版では高齢の女性である（一九六一年版でアニタを演じたリタ・モレノ。スピルバーグ版の製作総指揮も務めた）。プエルトリコ系の彼女の亡き夫は白人だったという設定だ。大枠としての分断だけでなく、それぞれ人間関係の枠の内にも様々な差異があることが、リメイクされた映画ではいっそう強調されている。争いのないどこかを求める曲「サムホエア」を若い世代に歌わせた舞台版や一九六一年版とは異なり、スピルバーグは女店主に歌わせた。この選択は、彼女と夫の人種の違い、高齢の彼女が過ごしてきた人生といった背景によって、人種間の軋轢が長く続いてきたことを観る者に意識させ、メッセージ性を強めている。

一九六一年版の映画では、ビルの屋上運動場を中心とする縄張り争いが、二つのグループが敵対する理由だった。さらにスピルバーグ版では、街で再開発が進んでいることが冒頭で示される。若者たちが自分たちの縄張りの対象にしようとする地域自体が、再開発に包囲され縮小しているのだ。社会の主流になれない移民の不良少年たちが、街の片隅にいる閉塞感で不満をためこみ、暴力が破裂する。物語では、そのような力学が働いている。「サムホエア」は、彼らがいる閉塞した場所の外を希求する歌なのである。本書の第一章から第六章まで論じてきた物語は、なんらかの理由でどこかに閉じこめられた者が、自身とは異なる属性を持つ存在と心を通わせようとする内容だった。閉じこめられ孤立した者は、容姿や能力、性格に関し人並みではないものを抱え、愛の成就には障害がある。たとえ誰かと共感しても、属性が異なる相手に周囲は恐怖や敵意を示す。野獣、カジモド、ファントムは、醜いゆえに自らの居場所が限られた。彼らは出会った女性をその閉域にいさせようとした。アリエル、エルサ、エリザベートは王家の立場や論理によって自由を制限された。彼ら、彼女らとも、閉塞感への反動で大胆な行動に出たのである。

『ウエスト・サイド・ストーリー』のトニーは、過去には不良少年の一人であり問題を起こしたものの、争いごとにはもうかかわらないと決意した青年だ。その意味では、野獣やファントムのように暴力衝動をどこかに抱えていたのかもしれない。抑圧された衝動は、ジェッツとシャークスの争いに巻きこまれたことで破裂する。親友を殺された一瞬の怒りから、自らも殺人を犯す。ジェッツの男たちがアニタを襲おうとした場面に典型的な通り、誰かに敵意を向けた際の集団の高揚感、理性を失い獣性が剝き出しになる状態は、野獣やファントムを殺せと叫ぶ群衆が垣間見せた暴力性に相似する。トニーはその種の暴力性に一時的に感染してしまい、愛するマリアの兄ベルナルドを刺す。兄は、妹のマリアがジェッツ側の人間と交際するなどもってのほかであり、シャークスの仲間うちのチノと結婚すればいいと考えていた。マリアは、そんな束縛や抑圧を疎ましく感じ、密かにトニーを愛したのだが、兄を憎んでいるわけではない。彼が妹想いなのは理解していた。だが、物語終盤でトニーがチノに射殺された直後、マリアは恋人を死に追いやった両グループの面々に拳銃を向け、怒りの言葉を吐き出す。結局、撃つことはないものの、彼女もまた、内側にためこんだものが暴発しそうになるのだ。

閉塞した状況にある者が、属性の違う者と親しくなり、悲劇が訪れる。『ウエスト・サイド・ストーリー』は大枠が、「異様な者と出会う物語」と共通するが、人間離れした異様な存在は登場しない。だが、高揚する集団の狂気が異様なものとして迫り出し、それに感染した主人公が一時的に暴力的で異様な者になる瞬間が描かれる。ディズニー版『美女と野獣』のガストンが率いる群衆と野獣、『ウエスト・サイド・ストーリー』のジェッツおよびシャークスとトニーは、怒りや暴力に駆られる者たちと怒りや暴力を遠ざけようとする者の対比という点で相似しつつ、暴力にむかう獣性＝異様さの焦点化のしかたが異なる。

普通の男女の怪物化

『ウエスト・サイド・ストーリー』で若者たちに閉塞感を与えるのは、アメリカという国家だ。劇中でプエルトリコ系移民のシャークスの男女が歌い踊る「アメリカ」は、自由な国への憧れや希望と、夢見たのとは異なる現実への失望を吐露する歌詞である。欧州系のジェッツは白人の自分たちの方がシャークスより優位だと思っているが、彼らも恵まれてはいない。いずれもアメリカの豊かな部分から疎外され、隅に追いやられ縄張り争いをしているのだ。ジェッツも「アメリカ」的な希望と失望の二重性を生きている。

一方、アメリカの威光をかさに着た男が、身勝手な振る舞いで日本女性を死に追いやるのが、プッチーニのオペラ『蝶々夫人』（一九〇四年）だ。明治時代の長崎を訪れたアメリカの海軍士官ピンカートンが、斡旋屋を介し芸者の少女と結婚する。彼女はまだ十五歳であり、芸者だとはいえ世慣れておらず、純真なキャラクターである。二重唱「可愛がってくださいね」では、「僕の蝶々」と呼ぶピンカートンに「海の彼方の国では人の手に捕まえられた蝶は針で刺され板にとめられるそうですね」と問う。結婚相手は「逃がさないためさ」、「君は僕のものだから」と愛を理由にあげる。だが、幼い妻の懸念は当たっており、彼は日本女性を所有物のように思っていた。

蝶々さんはピンカートンと結婚したと思っていたが、彼は異国での一時的な関係としかとらえておらず、帰国して同国人の女性と正式に結婚するのだ。ピンカートンは、日本を文化的に遅れた粗野な地域と見下している。芸者の少女を可愛いと感じたのも、人間を愛するというより小動物を愛玩する態度に近い。それに対し、蝶々さんは結婚を機にキリスト教へ改宗し、怒った親族と絶縁してしまう。彼の子を産んだ彼女は、夫が帰るのを待ち続ける。蝶々さんはアメリカ人と結婚した自分はアメリカ人だととらえており、アメリカを「私の国」と呼ぶ。そんな彼女は同国の日本人とうまくつきあえず、孤立する。喩えるなら蝶々さんは、母国に残ったまま精神面では移民となり、先述のシャークスと同じく、アメリカという夢、希望と失望が円環のようになった夢によって閉塞感をもたらされるのだ。

三年後、日本へ戻ったピンカートンがアメリカで結婚した事実を知った蝶々さんは、藩士だった父の遺品の短刀で自害する。短刀の銘には「誉れとともに生きられぬなら、誉れとともに死すべし」とあった。侍の娘らしい死というわけだ。彼女は屏風の後ろで自害する際、目隠しをさせた子どもにアメリカ国旗を握らせる。そうすることで我が子をアメリカ人のピンカートン夫妻に託した格好だ。このオペラは、アメリカ軍人が日本の芸者を現地妻とした後、本国で正妻を迎えた三角関係の悲劇という大枠を、ピエル・ロティ『お菊さん』(一八八七年)、ジョン・ルーサー・ロング『蝶々夫人』(一八九八年)といった小説や、デイヴィド・ベラスコの戯曲『蝶々夫人』(一九〇〇年)から受け継いでいる。先進国の男性の自己中心的な振る舞いが、発展途上国の少女を死に追いつめる一連の物語には、芸者や侍、自害といったモチーフの扱いに典型的な通り、西洋が東洋を自分たちより遅れた異質な世界と見なし、誤解や幻想を膨らませたオリエンタリズムが現れている。

プッチーニのオペラの場合、終盤でピンカートンが自分のしたことを悔いる姿を強調し、男の傲慢な印象を和らげるアレンジがされてはいた。蝶々夫人の純真さに対し、彼を不誠実なばかりでなく、悔いる良心もある人間に描くことで美しい悲劇の男性主人公として体裁を整えた形だ。ただ、身勝手さの程度はともかく、一連の物語で軽率な行動をとる男性主人公は、ありふれたアメリカ人にすぎない。そうであるにもかかわらず、母国と日本の文化があまりに異質であり、国力に差があるため、軽率な行動が重大な結果を引き寄せる。

関係が圧倒的に非対称であり、彼は自分の力に無自覚なまま非力な相手を破滅させる一種の怪物と化す。この構図は、舞台を明治時代の長崎からベトナム戦争末期のサイゴンへ置き換え、ミュージカルに作り変えた『ミス・サイゴン』（脚本クロード＝ミシェル・シェーンベルク、アラン・ブーブリル、作曲クロード＝ミシェル・シェーンベルク、作詞アラン・ブーブリル、リチャード・モルトビー・ジュニア）に受け継がれた。『蝶々夫人』のピンカートンが、最後に悔恨を示すとはいえ、もともとは赴任地での短期的な恋愛遊戯だったのとは異なり、一九八九年初演の『ミス・サイゴン』では、派遣されたアメリカ兵クリスが少なくとも現地では真剣にベトナムの少女キムを愛し、結婚する。だが、母国へ連れ帰るつもりだったのに、予期せぬ事態に一人で帰国せざるをえなかった。彼はやはり同国人エレンと結婚するが、ピンカートンが再来日して蝶々さんの現状を知るまで無反省だったのとは違って、帰国後は悔い続け、アメリカにいる時点でキムが我が子を産んだのを知り苦悩する。アメリカ軍撤退後も混乱するベトナムから、母子でアメリカへ移りたいキムは、タイのバンコクでクリスと再会できることに希望を持つ。だが、彼に妻がいるのを知ったキムは自らを銃で撃ち、我が子がアメリカ人になれるようクリスとエレンに託す。

クリスとキムが出会うのはサイゴンの娼館だが、彼女は働き始めた直後だったし、同僚に無理矢理連れてこられた彼こそ、最初の相手だった。猥雑な空間ではあるが、純真な二人が恋に落ちたという段取りなのである。クリスがキム母子について悩むのを事前に知ったうえでエレンは、キムと対面する。クリス、エレンはそれぞれの立場でキムを思いやっており、『蝶々夫人』にあった西洋が東洋を見下す差別的な姿勢はさらに薄められている。大国の威光をおびた普通の青年が、戦争で疲弊した国の少女と非対称な大きな力を持つとはいえ、ピンカートンほど身勝手さに無自覚ではない。だが、『ミス・サイゴン』は男性主人公を『蝶々夫人』より善人化する一方、女性主人公には同作以上の暴力性を付与している。

『蝶々夫人』では、ピンカートンが立場の優位性で蝶々さんを破滅に招いた。そのぶん横暴な彼は、意図せぬ怪物性を有していたわけだが、具体的な暴力行為におよんだのは絶望した少女の方である。彼女は短刀を喉に突き立て、自身に暴力をむけた。蝶々さんは、父が切腹し家が没落したため芸者になったのであり、自害の決断は侍の家系だからと理由づけがされるあたり、オリエンタリズムが感じられる。腹切りの風習がある国で彼女が見せる行為は、西洋からは理解しがたく、純心を裏切られた立場の哀れさとともに非文明的な獣性も感じさせる作劇となっている。これに対し侍の国である日本から戦地となったベトナムへ舞台を移した『ミス・サイゴン』では、女性主人公を結末で自殺させるだけでなく、それ以前に殺人まで犯させているのだ。

『蝶々夫人』では蝶々さんが、母国に帰った夫が不在のままであるため、国内の裕福な男から結婚の申し出を受けるが、断る。男は芸者上がりの相手を金で身請けする感覚で求婚するのに対し、彼女はピンカートンの妻としてアメリカ人になったと信じるゆえに拒否するのだ。蝶々さんの立場に関する認識が、すれ違っている。『ミス・サイゴン』でもクリスと恋仲になった結果、キムの心はアメリカナイズされる。だが、彼女には親が決めたベトナム人の許嫁がいた。その許嫁トゥイは、アメリカ人と結ばれたキムに激怒した後も、なお執拗に追い続け、結婚を迫る。だが、彼女がクリスの子タムを産んだことを告げると、ナイフで我が子を刺し殺そうとしたため、守ろうとした母はトゥイを撃ち殺してしまう。死後も幽霊になったトゥイは、キムを苦しめる。結末で彼女が自殺する一因だ。彼は、親の決めた同国人の許嫁と結婚するのが当然であり、ベトナムに戦争で介入したアメリカ人と結婚するのは許されないとする保守的な思考のなかにいる。心がどの国に帰属しようとしているのか。『蝶々夫人』にあったそのテーマが、戦争を背景にしていっそう焦点化される。同時に追いこまれた女性主人公がふるう暴力は、自身にだけでなく、同国人の男性にもむけられる。『ウエスト・サイド・ストーリー』でマリアは拳銃を握ったが、撃たなかった。だが、キムは撃たざるをえない。

物語において、蝶々さんやキムが自らの暴力性で自滅するのは、男性主人公が彼女と一緒にならないことを正当化し、彼を善人化する根拠ともなっている。大国に生まれ育ったゆえに他国の人間に対しありふれた男が怪物化するものの、彼は作劇上は善人化され、小国のありふれた女性は悲劇のヒロインとして憐憫の対象になるが、暴力性を付与されて怪物化される。『蝶々夫人』、『ミス・サイゴン』では、そんなねじれが生じているのだ。

人種問題の消去

蝶々さん、キムは、東洋人である自分がアメリカ人の愛を得て結婚し、自身もアメリカ人になれると信じたゆえに悲劇に見舞われた。これに対し、アンデルセン『人魚姫』は、人間の王子に恋した人魚が彼から愛を得れば人間になれると夢を与えられるが、成就せず泡となった。その悲劇をハッピーエンドに転じ、人魚が王子と結婚し人間になるのが、ディズニー版『リトル・マーメイド』である。一九八九年に製作されたそのアニメ映画版に対し、二〇二三年公開のロブ・マーシャル監督による実写版は、主人公アリエルを黒人歌手ハリー・ベイリーが演じると発表された時点から、賛否両論が渦巻いた。

映像でも演劇でも欧米ではキャスティングに関して、過去の白人偏重、男女のステレオタイプから人種、民族、ジェンダーの多様性に留意する方向へ進んでいる。ディズニーも旧作をリメイクする際には、ポリティカルコレクトやフェミニズムなどに配慮したアレンジを施すのが通例となった。ベイリーの主役起用も、ディズニーが「reimagining（再創造、再構築）」と呼んだ流れの一環だろう。その決定は、黒人層や多様性を是とするリベラル層に歓迎される一方、アニメ版のアリエルこそ真のアリエルだと思う人々や保守層から原作を改変したと反発を受けた。ただ、デンマークのアンデルセンが書いた『人魚姫』がヨーロッパの海と想定されたのに対し、『リトル・マーメイド』はカリブ海のイメージで描かれていた。ゆえに黒人がアリエルでも問題はないとする意見もあったのである。だが、実写版で彼女が恋するエリック王子のいる国において、白人と黒人が分け隔てなく暮らす描写に関し、奴隷制や人種差別があった過去を隠蔽する歴史修正だとする批判もみられた。映画の風景や衣裳が十九世紀のカリブ海沿岸をモデルに作られ、どこにもない架空の場所とは受けとれないために現れた反応である。

実写版『リトル・マーメイド』のベイリー出演のニュースを知った際、多様性称揚の意図は理解できるにしても、白人の王子に憧れて人間になりたがる異族の役を黒人に割りあてるのは、逆に差別的なのではないかと感じた。だが、完成した映画を観ると、人種に関して驚きのアレンジがされていた。アニメ版にはエリックの父母は不在だったが、実写版では母として黒人のセリーナ女王が登場し、孤児だった白人のエリックを養子にした設定である。陸の家族だけでなく海の家族も改変されている。トリトン王に七人の娘がいるのは変わらないが、人魚の姉妹には人種も肌の色も様々な女優がキャスティングされ、その末っ子を黒人が演じるのだ。だが、セリーナとエリックが義理の親子であるのに対し、トリトン王の妻に関しては、人間に殺されたと言及されるのみであり、姉妹全員が彼と彼女の子なのか、養子を含むのか、定かでない。エリックとセリーナ、アリエルとトリトンの間ではそれぞれ、冒険心を抱える子どもと節度を説く親の意識の違いが語られるが、あくまでも身内の対立である。この映画の世界では陸も海も、人種差別の問題はないらしい。

アニメ版ではカニの音楽家セバスチャンを中心に海中で音楽会が開かれ、姉妹がみな歌う。だが、実写版のセバスチャンは執事で音楽会の場面はなく、姉妹のなかで歌うのはアリエルだけである。また、アニメ版ではアリエルがエリックを恋する理由や動機づけがあまり描かれなかったが、実写版の二人は、ともに今いる場所よりも広い世界へ出ていきたいという冒険心を持っていることが強調される。アリエルが洞窟に人間の道具などを集め宝物にしたように、エリックも城の部屋に旅で集めたコレクションを置いており、知的好奇心が共通することが示されるのだ。互いが魅かれあう動機づけとしては、読書好きのベルを野獣が膨大な蔵書のある城の図書室へ案内した『美女と野獣』に近い。

さらにアニメ版『リトル・マーメイド』で敵役アースラを倒したのがエリックだったのとは違い、実写版ではアリエルが退治する。母を失った娘が、夢をかなえてあげるといいつつ自分と父を罠にかけた叔母のとどめを刺すのは、母殺しの代替的な行為でもあるだろう。物語の最後ではトリトンがアリエルとエリックの結婚を認め、人魚の娘を魔法で人間にする。娘を抑圧していた父は、それまで聞かなかった娘の声をこれからは聞くと話し、親子は和解するのだ。主要人物の性格がアニメ版以上に肉づけされたわけだが、焦点は主人公の自立心をより明確にすることだったといえる。そうしたフェミニズム的な観点は、アリエルが人間になる夢が成就するよう、その条件であるエリックのキスをセバスチャンが期待して歌う「キス・ザ・ガール」の詞の改変にも現れていた。原曲の「なにもいわずに」を「言葉を使って尋ねるんだ」へ変更し、性的同意を得る内容にアップデートしたのだ。この改変は、結末においてトリトンが娘の声に言及することと呼応している。

しかし、人間関係の描写が繊細になるとともに、アニメ版から切り捨てられた部分もある。海と陸の対立についてアニメ版では、人間が魚を食べることがクローズ・アップされ、アリエルを追って陸にあがったセバスチャンが、城の料理長から食材あつかいされて追いかけられるシーンが繰り返された。それは、デフォルメされた絵だから、魚を豪快にさばくシーンなどがドタバタの一環として笑いを呼ぶものになりえたのだ。実写版の場合、人魚は人間と同等の存在として登場するからいいものの、他の海のキャラクターはセリフを与えられ擬人化されているとはいえ、見た目はリアルな実在の生物に近づけられている。それらが食材となる場面を映すことは残酷に感じられると判断したのか、料理長がセバスチャンを追い回すシーンはカットされた。人間が魚を食べることはセリフに出てくるが、焦点化はされない。作中では、海が人に汚されている、陸が海に浸食されているという環境問題的な大状況が両者対立の要因とされ、妻を人間に殺されたことが陸を憎むトリトン王の個人的動機とされる。彼の憎しみは、アリエルとエリックの結婚とともに解消され、物語の最後では陸と海の友好の成立が示される。

この結末は、やはり人間への憎しみが解消した後に人間と異族の融和を迎える『マレフィセント』に近い。実写版『美女と野獣』、『眠れる森の美女』をヴィラン側から語り直した『マレフィセント』など、すでにみられたディズニー的な「reimagining」の路線を引き継いでいる。実写版『リトル・マーメイド』では、陸と海という違う世界・種族の対立、親の子への抑圧、女性への抑圧、環境といった要素が問題として物語を駆動したり背景となったりする。だが、一連の「reimagining」と同様に配役の人種が多様化される半面、作中に人種間の差別がないように物語は進み、人種は問題化されない。とはいえ、実写版『リトル・マーメイド』は、作中では人種問題が消去されたものの、主役に黒人が選ばれたことが話題になり様々な賛否の声が上がった結果、作品外の現実における人種差別の存在を再認識させることになったのだ。

日本における「カラー」

実写版『リトル・マーメイド』の人種をめぐるユートピア的な図式は、美醜の差別が原因で王子が野獣にされる罰を受けた『美女と野獣』の実写版の世界に人種差別がなかったのと似ている。同様の例は、十九世紀末のエドモン・ロスタンの戯曲『シラノ・ド・ベルジュラック』のミュージカル版を映画化したジョー・ライト監督『シラノ』（二〇二一年）にもみられた。同名舞台の翻案・演出・脚本を務めたエリカ・シュミットが、映画の脚本も書き、原作のストーリーにわりと忠実な内容になっている。シラノは幼なじみのロクサーヌを好いているが、容貌に劣等感があり打ち明けられない。彼女は美男のクリスチャンに恋するが、彼にはロクサーヌが相手に求める機知がない。このため、軍でクリスチャンと友人になったシラノが恋文を代筆し、愛の告白の黒子になる二人一役が始まるが、やがて悲劇が訪れる。物語のポイントは、美醜だ。原作のシラノは、鼻が巨大と設定され、過去の舞台化、映画化では付け鼻での演技が多かった。一方、『シラノ』は鼻の設定をやめ、舞台でも主役を演じた小人症のピーター・ディングレイジを主役にした。大胆なキャスティングだが、剣豪としての凛々しさ、本心を隠す苦しみの表情に説得力があり、歌声も低音に魅力があった。

映画でディングレイジと並んで挑戦的な起用だったのは、クリスチャン役の黒人俳優ケルヴィン・ハリソン・Jr.だろう。劇中でクリスチャンは、原作と同じく美男として登場する。軍隊でいじめられるのも新入りだからであり、シラノが姿ゆえに差別されても、クリスチャンが見た目で差別される描写は特にない。原作戯曲の誕生を題材にした映画『シラノ・ド・ベルジュラックに会いたい！』（二〇一八年）でアレクシス・ミシャリク監督は、ロスタンは行きつけのカフェの教養ある黒人店主オノレからシラノというキャラクターの着想を得たとする物語を作った。オノレは肌の色から偏見を持たれるのだ。だが、『シラノ』のクリスチャンは、その種の人種差別から無縁な形で作中に存在する。アンドリュー・ロイド・ウェバー作のミュージカル『オペラ座の怪人』では、二〇二一年のブロードウェイ公演で正式キャストとして初めてアフリカ系のエミリー・クアチョウがヒロインに抜擢された。また、ディズニーは二〇一七年に『美女と野獣』を実写映画化した際、一九九一年のアニメ映画版に比べ多様性を強調し、冒頭の舞踏会の場面から白人と黒人が一緒に踊っていた。『オペラ座の怪人』は醜い顔を仮面で隠す男の物語であり、『美女と野獣』では、醜い老婆を邪険に扱った王子が罰として魔法で野獣にされる。二つの古典は美醜による差別がテーマだが、演劇や映画では時代を追うごとに配役に人種的多様性を考慮する方向が強まっている。『シラノ』もそういうことだろう。

ただ、そこでは複数の基準が併存している。『シラノ』、『オペラ座の怪人』、『美女の野獣』の作中世界は、人種差別がみられない点はユートピア的だが、美醜の差別が登場人物を苦しめる点は現実的だ。『リトル・マーメイド』で陸と海の対立はあっても、人種差別はなかったのと同様である。また、『シラノ・ド・ベルジュラック』については、世間から醜いと思われる男の役を、過去には付け鼻で演じ笑いを誘うことも多かった。その演出はマジョリティがマイノリティを擬態したものといえるし、白人が顔を黒く塗り黒人を演じたことで今では差別的とされるミンストレル・ショーのあり方に近い。それに対し『シラノ』は、小人症の俳優を主役にすることで、マイノリティにマイノリティの人生を演じさせたのだ。だが、同作でクリスチャン役の黒人俳優は作中で他の白人俳優と区別されず、マイノリティとしてあつかわれることはない。

現実には美醜の差別（ルッキズム）と人種差別は結びついているのに対し、これらの作品は切り離しうるという立場で構成されている。それに対し『ミス・サイゴン』の場合、ブロードウェイ公演で白人がベトナム人に扮したことが批判され、アジア系俳優が演じるべきだとする意見が高まった（『ミス・サイゴン』の世界』）。ミンストレル・ショーの塗ったブラック・フェイスと同様にイエロー・フェイスが咎められたのだ。芝居をめぐって、役は人種・民族に関係なくすべての人に開かれるべきだとする価値観と、マイノリティの役はマイノリティが演じるべきだとする価値観が同居し、時に摩擦を起こす。舞台によっては、肌の色が異なる俳優たちが家族となり、現実にはありえない血縁関係を演じたりもする。それが特に意図的、挑発的な演出というのではなく、これまで白人ばかりで演じられた演目を人種平等の方向へ導くため、従来の演出を踏襲したままそうするのだ。そこでは、生物学的正しさは排除される。観客としては、複数の価値観がせめぎあう芝居に対し、作中の現実がどのレベルに設定されているのかについて、作り手の不徹底と感じていいのか、差別問題への対応に揺れる現実を写し取ったととらえるべきなのか、判断が難しい。むしろ、その居心地の悪さを味わい、内省すべきなのかもしれない。

ただ、ディズニーに関しては、二〇二二年にCEOに復帰したボブ・アイガーが、近年のストーリーテリングがポリティカルコレクトネス的なメッセージ性に傾いていたことを認め、「クリエイターたちは第一に楽しませなければいけない」と述べている（二〇二三年十一月二十九日のイベント「ディールブック・サミット2023」での発言）。今後、同社作品の方向性に変化がみられるかもしれない。

一方、日本では、クレヨンや絵具に関し、黄色人種の肌を前提とする呼名だった「肌色」が、多様性重視の観点から差別的だとする批判が寄せられ、二〇〇〇年代以降は「うすだいだい」と呼び変えられた。歴史や地域の事実や生物学とは矛盾する前記のごとき多様性のキャスティングは、この世界とはべつのパラレルワールドのユートピアを舞台にしているととらえた方がいいのか、見た目の肌がどのような色であっても芝居をする人々のすべてが（理念としてはあるが不可視の）平等な「肌色」をしていると受けとる方がいいのか。そういった認識の問題は、日本ではあまりクローズ・アップされない。この国でも海外にルーツを持つ俳優が増えてきたが、まだ黄色人種の日本人らしき人ばかりで演じられる舞台が多くを占めるからだ。白人女性が着物姿になり鬘(かつら)や白粉(おしろい)を塗った顔で芸者を演じる『蝶々夫人』を日本人が観た際、不自然さを覚えたなら、それはミンストレル・ショーに黒人が覚える不快感に近いかもしれない。だが、海外で製作され複数の人種が演じていた芝居を、人種的に一様に見える日本のキャストが日本語で演じた場合、ある種の平準化が生じざるをえない。本書で論じた作品でいえば、『ノートルダムの鐘』の「ジプシー」差別の描写などがそうだ。

そうした国内外のキャスティングの差について、武田寿恵『日本のブロードウェイ・ミュージカル60年』(二〇二三年)で興味深い指摘がされている。ディズニー・ミュージカル『ライオンキング』は、俳優が頭の上にマスクを着けたりパペットを操るなどしてアフリカの動物を演じるが、本人たちの顔はさらして演技する(演出はデザイナー兼務のジュリー・テイモア)。そのブロードウェイ上演に際し、意図的にアフリカ系の非白人俳優を起用しアフリカの力を表現した。俳優自身の色を役の構築に利用する「カラーコンシャス・キャスティング」と呼ばれる配役法である。肌の色を無視して配役する「カラーブラインド・キャスティング」(多くの場合、白人キャラクターを他人種が演じることを指す)とは逆だ。だが、物語の悪役スカーは、異質性を表現する目的で、白人俳優がメイクして演じるのが通例である。それに対し、マスクやパペットを使いつつ俳優の顔を見せる演出を踏襲した劇団四季では、黄色人種ばかりが出演することで「カラーコンシャス・キャスティング」が無効化されてしまう。先の本で武田は、劇団四季では中国や朝鮮半島にルーツを持つ俳優が、日本風の芸名で活動していることに触れている。差別問題においてアメリカでは肌の色の差異が大きな意味を持つのに対し、日本では肌の色に違いがない中国や朝鮮半島との間で差別問題がある。このため、名前が差別を引き寄せないように、日本風の名で活動せざるをえない状況があることを武田は批判するのだ。べつの意味で出自をめぐる「ブラインド」が存在するわけである。

劇団四季の場合、宝塚歌劇団のようなトップスター、二番手といった序列のあるスターシステムはとっていない。人気のある俳優を優遇することはせず、役を演じる力がある者を起用する方針だ。いわば代替可能な俳優を常に用意するのであり、それは民主的で平等な体制かもしれないが、平準化をうながすものともいえる。「カラー」の違いを前提にした「カラーコンシャス」の考え方と相性のいい体制とは考えにくいし、日本風の名を使用するのは、平準化への適応とも考えられる。

劇団四季の舞台では、『美女と野獣』の野獣が人間の王子の姿に戻り、『オペラ座の怪人』のファントムは仮面をとって素顔をさらす。また、『ノートルダムの鐘』では、主役の俳優が背中の詰め物を着け、はずすことをあえて観客の目前で行い、彼が背中に瘤のある醜いカジモドに変じる過程を見せる。それらの場面を通し、各キャラクターを世間一般の人々と違うと感じさせつつ、彼らも同じ人間だと共感させる内容になっている。社会にある差別意識を観客に自覚させる。だが、海外で製作された一連の物語の日本語版上演の背後には、本来の名を使うのをためらわせる極東地域間の差別があることは忘れずにいたい。

教育による壁の乗り越え

「異様な者と出会う物語」では、教育が人間関係のモチーフとなることが多い。ディズニー版『美女と野獣』の場合、周囲から甘やかされ、癇癪持ちで美醜の差別意識がある青年に育った王子が、魔女から罰として野獣に変身させられる。彼は読書好きで父親思いのベルを城に監禁したことで、逆に彼女から教化され、他人への思いやりや愛に目覚めていく。『ノートルダムの鐘』のカジモドは、養父フロロによって鐘楼の上部からの外出を禁じられ、偏った教育を受ける。『オペラ座の怪人』では、音楽的才能を有するファントムがクリスティーヌに歌の指導をし、彼女への支配を強めていく。だが、クリスティーヌによって、愛とはいかなるものか諭される。『リトル・マーメイド』では、陸の人間との接触を禁じた父トリトンの教えに背き、アリエルが人間になろうとする。『アナと雪の女王』では、エルサが父母から自身の超能力を抑えるように教えられたものの、暴発してしまう。『エリザベート』では姑ゾフィによる厳しい宮廷教育に適応できなかったエリザベートが、死＝トートと近しくなる一方で自己を確立していく。

一連の物語では教育というものが、中心人物と他者や世間との落差を象徴し表現する。属性の違う両者の落差を埋めるために行われる教育の成否が物語の展開を左右する。また、『ノートルダムの鐘』、『リトル・マーメイド』、『アナと雪の女王』の教育は、主人公と差異の大きい他者や世界を遠ざけるためになされるが、その失敗は周囲の価値観が転換する契機となるのだ。人ならぬ者、人とは思えぬ者が登場しなくても、物語で教育が大きな要素となり、登場人物同士の住む世界の差異が強調される作品は、本書で論じてきた「異様な者と出会う物語」と近しい構造を持つ。リチャード・ロジャース作曲、オスカー・ハマースタイン二世作詞、脚本で一九五一年に初演、一九五六年にウォルター・ラング監督で映画化された『王様と私』など、典型的な例だ。

国家の近代化を目指すシャムの王様が、夫を亡くしたアンナをイギリスから家庭教師として招く。王様は、複数の夫人に産ませた多数の子どもの教育を、彼女に任せようというのだ。だが、一夫多妻制が当たり前の王様と、一夫一婦制のなかで夫を失ったアンナでは、男女の権利、恋愛や結婚をめぐる考え方が異なり、英国流教育を導入しようとする彼女と王の間で摩擦が起きる。アンナは王様のマッチョ的な価値観を受容できず反発するものの、彼の知性は認める。このため、イギリスがシャムを野蛮だとみなし同国への支配を強めようとする局面では、王に協力し危機を回避しようとするのだ。王は身分の高さによる自信から、アンナはアジアの後進国よりも近代化された国の人間だという自負から、互いに上から目線になりがちである。二人がそのように育たざるをえなかったことを彼女の方は最後に理解したらしいが、恋愛するまでには至らない。アンナは、王が功績を讃え渡してくれた指環を口論の後に返したが、病床についた彼から感謝の言葉とともに再び与えられる。だが、受けとった直後に王は死んでしまう。彼女が亡骸にすがりつくすぐ横で、王座を継承する彼の息子が、今後は王に対しひざまずかなくてよいと周囲に宣言する。王とアンナの関係が、より近代的な考えを持つ新王誕生の礎になったと示し、物語は終わるのだ。

この物語には、『蝶々夫人』、『ミス・サイゴン』と同じく、オリエンタリズムの視線がある。だが、発展途上国の無邪気で非力な少女である蝶々さん、キムと、普通の男でしかないのに大国の人間であるゆえに相対的に大きな力を持つピンカートン、クリスの間にあった非対称性とは違う関係性がここにはある。『蝶々夫人』、『ミス・サイゴン』は東洋の女と西洋の男の物語だったが、『王様と私』は西洋の女と東洋の男の組みあわせだ。女性主人公は、前者二作では無知なのに対し、後者では教養があり、アンナの方が王よりも世界を知っている。だが、王は一国のトップの立場であるため、二人は対等に近い関係を築く。ピンカートンやクリスは、恋に落ちた東洋の少女に自分や祖国の事情を教えないまま現地を去り、残された蝶々さんやキムは相手やアメリカについての思いこみを膨らませてしまった。それとは違いアンナと王は、互いが互いの価値観を相手に教えようとして衝突する。

興味深いのは、『王様と私』のいくつかの要素が、ディズニー版『美女と野獣』に受け継がれたように感じられることだ。野蛮に見えた男性が、教養のある女性と出会い、隠れていた知性が引き出されるという全体の構図が重なる。また、『王様と私』の場合、子連れの主人公は当初、母子が住むための家を用意される契約だったが、王は約束を破り、彼女を強引に宮殿に住まわせるのだ。このように行動の制約が物語の発端となるのは、野獣の命令で城に住まざるをえなくなった『美女と野獣』のベルと近しい。物語の中心となる男女が共感を深めるのが、二人のダンスの場面であるのも共通する。『美女と野獣』の結末では、死んだと思われた野獣が、本来の王子の姿になって蘇生する。ベルのおかげで彼が愛を知ったため可能となった復活だった。それに対し『王様と私』の場合、保守的な思考に変化はみられたものの頑迷さを残していた王の死去から時をおかず、若き次の王が近代的で開かれた姿勢を示す。この交代劇を一人のキャラクターに統合したものが、『美女と野獣』の野獣の死と王子の復活になったととらえられる。

『美女と野獣』では、凶暴と決めつけられた野獣の城が、ガストンに率いられた村人たちに襲われる。悪意を持つ人物に扇動され暴力に感染した群衆が、かつての野蛮さから改心した者を攻撃するのだ。一方、『王様と私』でも、王が野蛮だと疑われたシャムが、イギリスから統治の目的で国家的暴力をふるわれかねない状況にあった。いずれも、個人の暴力性を共同体の暴力が取り囲む構図だ。教育のモチーフを内側に含みつつ、外枠で共同体の変容が起きる二重の暴力の構図として、より過酷な状況を描いたのは、『王様と私』と同様に実話を脚色した『サウンド・オブ・ミュージック』である（作曲リチャード・ロジャース、作詞オスカー・ハマースタイン二世。一九五九年初演。一九六五年、ロバート・ワイズ監督で映画化）。オーストリアを舞台とする物語の前半は、「ドレミの歌」のほがらかさに象徴される明るい家族物語だが、後半は第二次世界大戦中にナチス・ドイツへの併合で圧制がしかれた祖国からの脱出劇へと転回するのだ。

『サウンド・オブ・ミュージック』では、修道院へ見習いで入ったものの活発すぎるマリアが、外の世界にいる方がいいと院長から家庭教師の仕事を勧められる。彼女はトラップ大佐の子どもたちを教えることになるが、妻を亡くした彼は七人の息子と娘を軍隊のごとき厳しさでしつけていた。マリアは、価値観の違いでトラップとの間に摩擦が生じるが、快活な態度で音楽を教え、家族に自由と楽しさをもたらす。象徴的なのは、軍事教練のごとく「一」、「二」、「三」と点呼の声をあげていた子どもたちが、「ド」、「レ」、「ミ」と歌うようになることだ。保守的で頑迷な家長が、進歩的な家庭教師との出会いにより考え方が軟化する展開は、『王様と私』と共通する（二作の作詞作曲はいずれもロジャースとハマースタイン）。ディズニーの実写版『美女と野獣』前半には、ベルが見晴らしのいい丘へいき自由への憧れを歌うが、その場面は映画『サウンド・オブ・ミュージック』冒頭のマリアが丘で歌う場面を連想させた。読書好きで進歩的な考えを持つベルが保守的な街で変わり者あつかいされたことと、自由で快活なマリアが修道院でも軍隊を手本にしつけをしてきたトラップ家でも、浮いた存在であることを重ねたオマージュだったのだろう。

映画『サウンド・オブ・ミュージック』では、雷雨におびえる子どもたちにマリアが「私のお気に入りMy Favorite Things」を歌い元気づけて彼らと打ち解ける。一度はトラップ家から離れたマリアが戻ってくることを願う子どもたちがこの曲を歌うと、再会は実現する。状況を好転させるおまじないの役割を持つ曲なのだ。しかし、世情が厳しくなる物語後半では、おまじないは効かなくなる。トラップ大佐は祖国愛が強く、オーストリア併合を進めるナチスに協力しない決心を固める。このため、一家は逃亡せざるをえなくなるが、潜伏先で幼い末娘はマリアに尋ねる。「歌えば怖くなくなる？」と。追手はすでに近づいており、マリアは娘をだまらせるしかない。ここで末娘が歌いたいと思い、マリアが歌わせなかった曲が「私のお気に入り」であろうことは、それまでのストーリーが暗示している。この場面では音楽の無力と敗北が描かれる。しかも、物語前半で長女と恋仲になりデュエット（「もうすぐ17才 Sixteen Going on Seventeen」）もした少年が、後半ではナチス支持者になりトラップ一家の居場所を上官に通報するのだ。彼らが危機を脱し、高い山を登り逃げていく姿の遠くからの空撮で映画は終わる。そのバックには「すべての山に登れ Climb Ev'ry Mountain」の合唱が流れ、音楽の力を印象づけるラストではあるが、音楽が万能でないことも描いた内容だ。

マッチョ的な価値観を持つ男性が、自由で開放的な思考をする女性と出会い改心する展開において『美女と野獣』と大枠が近しい点は、『サウンド・オブ・ミュージック』も『王様と私』と同様である。また、主人公男女の価値観のズレが解消される一方、二人の周囲にいた人々が状況に扇動され暴力性を帯びるのもディズニー版『美女と野獣』に通じる。なかでも長女の恋人だった少年の変貌ぶりが、普通の人間が内に抱える冷酷さを感じさせる。『アナと雪の女王』でアナは恋人だと信じていた王子から手ひどく裏切られたが、相手はもともと王国を乗っ取る野心を持っていたのであり、はじめから意図的に行動していた。それに対し『サウンド・オブ・ミュージック』の長女の元恋人は、恋や権力への憧れを有するありふれた若者であり、時代の変化に流され思慮がないまま、その時点で権威を持っていたナチス側に立つことを選んだ。彼は、大国の側にいるために普通の男のまま怪物化した『蝶々夫人』や『ミス・サイゴン』の青年に類する性質を持っていた。裏切りの自覚がないではないが、相手にとって残酷な選択をする存在だ。

二人の差異のダークサイド

『王様と私』や『サウンド・オブ・ミュージック』は、マッチョな思考にとらわれた男性主人公が、女性主人公から進歩的で開放的な姿勢を教えられて性格が変化し、二人の距離が接近する物語だった。逆に女性主人公の方が粗野であり、男性主人公に教育され文化的に変容するのが、バーナード・ショーの戯曲『ピグマリオン』（一九一三年）と、それを原作とするミュージカル『マイ・フェア・レディ』（一九五六年初演。一九六四年にジョージ・キューカー監督で映画化）である。同作では、下町育ちでコックニー訛りが強く振る舞いも荒い花売り娘イライザを、言語学教授ヒギンズが厳しく教育して言葉を矯正し、社交界で通用する貴婦人に育てる。身分が違い貧富や教養の差も大きい二人の間では、ヒギンズの方が圧倒的に優位な立場にあった。彼が、住む世界が異なる下町娘を自宅に住まわせ、しつけたのは、イライザを貴婦人に仕立てられるかどうか、ピカリング大佐と賭けをしたためだ。下町娘へのヒギンズの軽はずみな好奇心は、『蝶々夫人』や『ミス・サイゴン』のアメリカ兵士がアジアの少女に魅かれるオリエンタリズムと大差ない。

ショーの原作のタイトルは、自分が彫った女性の像に恋したギリシア神話のピグマリオンからとられている。神話と同様に、ヒギンズは自分が作りあげた貴婦人に魅かれてしまう。恋した弱みで二人の力関係が逆転するのが、面白さだ。独身主義で自身の知性を誇るヒギンズは鼻持ちならない人物であり、イライザに頭ごなしの指図を繰り返す。だが、言葉遣いを矯正され、社交の場での処し方を教えられた生徒は、教師と対等に話せるようになる。下町娘を貴婦人に育てることに成功し、賭けに勝った彼は、彼女のその後についてなにも考えていなかった。過去とは違う話し方と振る舞いを体が覚えてしまったイライザは、かつて自分が属した下町のコミュニティに今さら戻れない。自分をどうしてくれるのかと怒りを爆発させる。「自分にはもうあなたは必要ない」と人間になった人形は独り立ちを宣言し、人形はいうことを聞くものと思いこんでいた人形師を慄かせる。ヒギンズは、気の利いた対応ができない。『ピグマリオン』でのイライザは求愛してくれたべつの上流男性を選び、『マイ・フェア・レディ』では去ったとみられた彼女が戻り、愛の成就が示唆される。

結末の違いは、アンデルセン『人魚姫』とディズニー版『リトル・マーメイド』の結末の差と相似的だ。人魚姫やアリエルの場合、人間の姿になる魔法をかけられるが喋れなくされ、その状態で王子と真実の愛が芽生えなければ本当の人間にはなれない。人魚姫は望みを絶たれて泡になり、愛が実ったアリエルは人間になって王子と結婚する。だが、考えてみれば、海の人魚と陸の人間では文化が異なるのだから、使う言語も同じではないと想像される。国籍や種族、身分など属性が違い母語も別なもの同士の愛の可能性を考える寓話として『人魚姫』、『リトル・マーメイド』はとらえられるし、海から陸への上昇は、下町娘が貴婦人になる階級上昇と類比的だ。イライザの場合、魔法ではなくヒギンズの学問の力で貴婦人の言動を教育される。二人はべつの文化圏に属し、話す言葉にも差があったとはいえ、教育を始められる程度の意思疎通ができる共通性はあった。父親から自由な気風を受け継いだエリザベートが、宮廷入りした際の軋轢もそうだ。ノートルダム大聖堂の鐘楼やオペラ座の地下、街から隔絶した城といった社会の周縁にいたカジモド（彼は難聴でもある）やファントム、野獣は、エスメラルダやクリスティーヌ、ベルとギクシャクした交流をする。それらの出会いには成就の可否はともかく、愛が生まれる余地があった。

しかし、属性が異なる同士の出会いが、すべて愛の成立の可否を焦点化する物語にむかうわけではない。

ジョン・ファウルズの同名小説（一九六三年）を原作としたウィリアム・ワイラー監督の映画『コレクター』（一九六五年）が、代表的な一例だ。人づきあいが下手で孤独なフレディが、くじで大金を手に入れ屋敷を購入する。彼は一方的に目をつけたミランダを誘拐し、自宅の地下室に監禁する。性的関係を強要するためではない。そんなことは金さえ払えば他の場所で可能になる。男は、女に自分を理解してもらい、愛してもらおうと考えたのだ。ミランダは反発するものの事態が好転しないため、生きて帰ることを最優先に考え、態度を和らげフレディに話をあわせたりするようになる。その過程で、奇妙な距離の近さが生じる。ストックホルム症候群だろう。彼女は彼を誘惑することまでするが、色仕掛けで騙そうとしたのだろうと、相手を怒らせてしまう。フレディが、単なるセックスではなく彼女の理解＝承認を求めていることが、事態をややこしくさせるのだ。

ミランダは武器になるものを手にしてフレディを殴りつけるが、逃亡に失敗する。敵にダメージを与えたその局面で彼が死んでしまわないかと心配したりする。二人とも、自分を理解しない相手に怒りを抱き、暴力的になるが、爆発しきるところまでいかない。フレディは、教養はないものの市役所で働く保守的な考えの人間であり、根っから粗暴だったのではない。していることは誘拐監禁なのに、本人は穏便に彼女と仲良くなりたいと思っている。それに対し、美術学校に通うミランダは文化的で進歩的な考えを持っており、いくら話しても二人のギャップは埋まらない。サリンジャーやピカソを好む彼女に彼は「お前たちは賢いつもりで無教養な自分を馬鹿にしているのだろう」と激高する（二人の教養の差は、ミランダのキャラクターがより掘り下げられた原作小説の方が明瞭である）。それでも、いずれ受け入れてくれるのではないかと彼女を手放さず、未来に希望を抱く。結局、ミランダは病死してしまい、フレディは次のターゲットを探そうと心を切り換えるのだ。

この物語が、『美女と野獣』のありえたかもしれないもう一つのシナリオであるのは明らかだろう。同作のディズニー版では、文化的で進歩的なベルの教化で粗野な野獣の癇癪癖が治り、真実の愛のキスによって彼がまともな王子に戻る。だが、『コレクター』では、フレディもミランダも相手を教化できず、二人の断絶を確認するばかりだ。フレディの趣味が蝶の採集と標本化であることも、ミランダが彼を嫌悪する理由となる。『蝶々夫人』では、蝶々さんが自分へのピンカートンの態度について「海の彼方の国では人の手に捕まえられた蝶は針で刺され板にとめられるそうですね」と恐れを吐露したのに対し、彼が「逃がさないためさ」、「君は僕のものだから」と愛の強さを主張した。その歌に示された男の所有欲、相手の意向を無視して自由にしようとモノあつかいする本心が、『コレクター』では具体化される。フレディは、ミランダの死後、今度はインテリっぽくない女を選べばいいと思いつく。野獣とは違い、一つの真実の愛を得られなかった彼は、蝶だけでなく、女性に関してもコレクターになるのだ。「異様な者と出会う物語」の多くは、孤独な人間が抱えた相互理解への夢を主題にした。その夢の足場がいかに不安定で危険をはらんでいるかを、『コレクター』は同型の物語のダークサイドから描いている。

『美女と野獣』型の物語のダークサイドを描いた点では、レオス・カラックス監督のミュージカル映画『アネット』(二〇二一年)も興味深い。オペラ歌手のアンとスタンダップ・コメディアンのヘンリー。ともに舞台人だが、毒舌に満ちた笑いではずせば反感を買うコメディと上品なオペラで住む世界が異なり、「美女と野人」と称された二人の結婚から始まる物語だ。ヘンリーは女性を虐待した旧悪が暴かれ、人気が下降する。アンとの格差が開き妻と摩擦が生じた彼は、酔った勢いで彼女を死に追いやる。だが、幽霊になったアンは、遺した幼い娘・アネットに憑依した。ヘンリーは、歌の才能を発揮したアネットで稼ぎ始めるが、人殺しだと娘から告発される。目を引くのは、娘が生まれた瞬間から木の人形の姿で登場することだ。彼女の歌の上手さはアンに憑かれたためだし、ヘンリーから商売道具にされると同時に母からは父への復讐の道具にされたのだった。父母には「美女と野人」という人としての格差があったが、娘は親から道具あつかいされた。アネットが、人形という極端な虚構の形で表現されたのはそのためだろう。刑務所に入った父と面会する際、アネットはようやく人間の姿になる。そこでは、父母が見ないでいた娘の現実が露出したかのごとき印象を受ける。

『美女と野獣』の場合、ベルとの真実の愛が成就すると魔女による呪いが解け、野獣は王子の姿となる。それに対し『アネット』では父の嘘が暴かれ、母の憑依が終わると娘が本当の姿を現す。「美女と野人」という父母の差異と争いから生じた娘への呪いが、解けたということなのだろう。舞台人である男女の関係を軸にした同作は、原案・音楽・脚本を担当したロック・バンド、スパークスが演奏する場面から始まった。そこにヘンリー役のアダム・ドライバーなどキャスト陣が加わり、街へ歩き出す。そのようにスタッフや役者が一緒に顔を見せるオープニングから本編へ地続きになっていた。以後も、作中の舞台だけでなく現実の場面でも、いかにもセットや書割だとわかる、虚構性を強調した絵作りが行われる。通常の行動や会話の合間に歌い出すミュージカルの虚構性の強さが、自己言及的に表現されるわけだ。それは、ヘンリーとアンの舞台人としての虚栄が、日常をも浸食していたことを示唆しているだろう。特にヘンリーは嘘を生きたのだし、アンは死後も影響をおよぼすという実際にあってはいけないことをした。人形から人間への娘の変身は、「美女と野人」の父母を持ったゆえに、現実と虚構に引き裂かれた哀しみを表現した痛々しさがあった。

異様な自分と出会う

異様な者が教化されず愛を得られず、暴力に走る。そうした展開の作品の一つにトッド・フィリップス監督の映画『ジョーカー』(二〇一九年)があげられる。本書第二章で触れた通り、『バットマン』シリーズの悪役(ヴィラン)であるジョーカーは、『ノートルダム・ド・パリ』の作者ユゴーが書いた『笑う男』のタイトルとなった主人公を一つのルーツとして造形された。同作のグウィンプレンの場合、幼少期に口を裂かれた傷跡のため「笑う男」として見世物になるのを余儀なくされたものの、彼にはともに育った盲目の女性デアという愛の対象が存在した。それに対し、バットマンの敵役ジョーカーは、白い顔、赤い唇、緑の髪で笑みをたたえたピエロ的な風貌のサイコパス殺人鬼である。『ジョーカー』は、そのキャラクターに独自の生い立ちを与えた映画だ。主人公アーサーは、派遣ピエロとして働く青年であり、コメディアンになる夢がある。この点は、『アネット』のヘンリーがコメディアンだったのと近い。だが、アーサーは貧しいうえに母を自宅で介護しており、自身も関係ない場面で笑いの発作が起きる症状がある。仕事をクビになった彼はピエロの顔のまま、地下鉄内で女性にからんでいた酔ったエリート証券マン三人を射殺してしまう。事件が報道されると正体不明の犯人は、貧困層のヒーローとして支持され始める。

アーサーは、介護する母が本当の親ではなく、幼児期の自分が同居していた男から虐待されても放っておいたことを知る。彼は母、仕事仲間、テレビ番組の司会者など自分を貶めていた相手を次々に殺す。その過程で貧困層の暴動が起き、ピエロのメイクや仮面が多く含まれる群衆のなかで、護送されていたパトカーから脱出したアーサーは、恍惚とした表情を浮かべる。劇中には、彼が同じアパートに住む黒人のシングル・マザーに好意を抱き、交流があったかのような映像が登場する。だが、彼は彼女をストーカー的に尾行したのであり、交流は妄想でしかなく、二人の間に愛は生まれない。いわば野獣が登場せずガストンが主人公になった『美女と野獣』のごとき物語である。ただ、ベルに求愛を拒まれるガストンが村人を扇動し野獣の城を襲うのとは違い、アーサーは暴動を直接煽動したわけではない。ピエロが殺人犯だと報道されるうちに、彼は結果的に貧困層のヒーローになっていたのだ。暴動の渦中にいあわせた本人は、その立場を喜んで受け入れたようだが、客観的に見て群衆と理解しあっているわけではない。暴力に走る群衆がアーサーの異様さの受け皿にはなったが、彼の孤独は変わっていない。『アネット』の嘘を生きるヘンリーが現実と虚構の間にいたのに対し、アーサーは個人的に近隣の女性への恋愛妄想を抱きつつ、報道によるピエロのイメージで群衆とつながる。

属性が異なる者同士の出会いにおいて、虚構や妄想の高まりが大きな役割を果たす。その種の作品のなかでも、様々な示唆を与えてくれるのがデイヴィッド・ヘンリー・ウォン作の舞台劇（一九八八年）で、デイヴィッド・クローネンバーグ監督で映画化（一九九三年）された『エム・バタフライ』だ。同作はタイトルから察せられる通り、『蝶々夫人』を変奏した内容だ。中国のフランス大使館で働くルネ・ガリマールが、京劇（中国の古典劇の一つ）の役者ソン・リリンに恋し交際する。大使館の催しでソン・リリンが『蝶々夫人』を歌ったのをガリマールが見たのが、二人の出会いだった。西洋の男性が東洋の女性を魅力的だと思うオリエンタリズムがテーマとなる点は、『蝶々夫人』を引き継いでいる。だが、本作ではソン・リリンが実は男性であり、ガリマールから外交情報を得るスパイ行為をしていたことが明らかになる。

ガリマールは、肉体関係を持った愛人を本当に女性だと思い続けていたのか。裁判でも世間の興味でも、それが焦点になる。異性装や性別のとり違えは旧くから演劇のモチーフになってきたが、この物語は、フランス外交官と京劇俳優との間で実際に起こり、各国で報道されたスパイ事件をモデルに書かれた。作者は、事件に象徴的なテーマを見出したのだろう。

二人の出会いにおいてガリマールは、蝶々夫人を演じたソン・リリンを「まるで本物だ」と褒める。だが、日本女性を演じた本人は『蝶々夫人』を好んでおらず、「日本人は戦時中に中国人の同朋を人体実験に使った」と応じ、中国と日本の区別もつかない西洋人のオリエンタリズムに皮肉をいう。だが、本物の演劇に触れたいなら京劇を見なさいとソン・リリンが挑発したのを皮切りに、双方が相手を焦らす駆け引きをした末に愛人関係を結ぶ。ソン・リリンが東洋の女性の慎み深さを理由に着衣での性交を求め、それを受け入れたため性別を誤認したのだと後にガリマールは説明した。実は気づいていたものの、自分の同性愛傾向を認めたくないゆえにそう主張したのではないかと、疑わせる供述である。だが、ソン・リリンはスパイ行為の同志の計らいによって中国人と西洋人の間に生まれた赤ん坊を手配し、ガリマールとの子を出産したと偽装した。自国の方が文化的に進んでいると自惚れた西洋男性が、東洋女性を遊び相手と見て侮る。だが、我が子の誕生を知り、ことを真面目に考えようとする。ソン・リリンは、その大枠を『蝶々夫人』から借用して騙したわけだ。

スパイ行為は摘発され、二人とも逮捕される。作中でソン・リリンは、京劇の舞台やガリマールと会う時以外の日常生活でも女装しており、中国人の同志から頽廃的だと批判される。男を性的に悦ばせる手段を熟知するソン・リリンが女を装っているのが、スパイ目的だけの行為とは考えにくい。だが、彼が本当はガリマールをどのように思っていたかは曖昧なままだ。一方、ガリマールは逮捕されてようやく「自分は、男が作り出した女を愛した男だ」と気づく。蝶々夫人を手に入れたピンカートンのつもりだった彼は、むしろピンカートンに弄ばれた蝶々夫人だった。そう悟ったガリマールは、監獄で自らが化粧し女装して蝶々夫人になる。オペラの幕切れと同じく、不名誉な生でなく名誉ある死を選ぶとして、自害して見せるのだ。

フランスの外交官ガリマールと中国の京劇俳優ソン・リリンは、属性の違う者同士として恋愛した。だが、ガリマールは、ソン・リリンが「男が作り出した女」、つまり幻想だったと知った後、相手から裸体を見せられて慄く。『美女と野獣』の結末で野獣が本来の王子の姿に変身しても、凡庸な正体は観客の記憶に残らない。だが、「男が作り出した女」の幻想を脱ぎ捨て、素の男になったソン・リリンをガリマールは直視できない。男女の性別だけでなく西洋と東洋の文化的差異が加わって「男が作り出した女」は形成されていた。幻想が砕かれた際、それとの落差の大きさにより、普通の男、普通の中国人であることが、ガリマールにとっては、とても異様な者として迫ってきた。相手だけでなく、同性愛者だと自認していなかったにもかかわらず、同性を欲望し愛した自分まで異様に思われただろう。男と女という彼が信じていた〝普通〟の性別、ジェンダーすら異様に感じられたのではないか。だから、自らが「男が作り出した女」＝蝶々夫人に立てこもり、精神を防御しようとした。だが、ガリマールが蝶々夫人に扮するのは、彼との最初の会話で自分は蝶々夫人のような日本人ではないとソン・リリンが反発したことを踏まえれば、さらにそれ以前にまでさかのぼる精神の退行だろう。結果的に自らの幻想に閉じこもったガリマールは、観客にはソン・リリン以上に異様に見える。

落差を埋める幻想

ジェンダーを中心的なテーマとし、個人の幻想が異様な者との出会いを引き寄せる物語として、『蜘蛛女のキス』を忘れるわけにはいかない。一九七六年に発表されたマヌエル・プイグの同名小説は、アルゼンチンのブエノスアイレスの刑務所に収監された二人の会話が、多くを占める。同室になったのは、工場での争乱を煽動した革命家バレンティンと、未成年者への猥褻行為で服役した同性愛者モリーナだ。夜ごとモリーナは以前に観た映画のストーリーを語り、それを聞くバレンティンは茶々を入れながらも話の続きをうながす。社会を変えるべきだと信じる革命家と、夢想に逃避する同性愛者の考え方は異なる。ナチスのプロパガンダ映画の話に嫌悪を示す聞き手とは違い、語り手はラヴ・ストーリーとしてのロマンティックさに魅かれている。自分が女でありたいからといって相手の男に従う必要はない、搾取関係ではなく対等でなければならないとバレンティンは説く。モリーナは、それでは刺激がない、亭主が気持ちよくやるためには命令しなければならないのだと返す。二人の価値観は、どこまでもすれ違う。

『蜘蛛女のキス』は一九八五年の映画化（エクトール・バベンコ監督）でも知られ、原作者プイグによる戯曲化（一九八一年）、ジョン・カンダーとフレッド・エッブの詞・曲によるミュージカル化（一九九〇年ワークショップで初演後に改訂）もされた（ジェニファー・ロペス主演で同ミュージカルを映画化すると、二〇二三年に発表された。実写版『美女と野獣』を監督し、『グレイテスト・ショーマン』のシナリオを担当したビル・コンドンがメガホンをとる予定）。ただ、モリーナは原作では実在する映画を語ったのに対し、映画版とミュージカルでは架空の映画に変更されている。小説で語られる映画のうち、スパイを題材にしたナチスの話、若い革命家と父の話は架空のものだ。しかし、特異な一族の女が男とキスをすると黒豹に変身し相手を殺してしまうという『キャット・ピープル』、戦争で顔に傷痕の残る男と醜いメイドが愛しあい互いが美しく見えるようになる『青春の宿』、夫の最初の妻がゾンビにされていたと後妻が知る『私はゾンビと歩いた』などは、モリーナのキャラクターを通して実在の作品がアレンジされて伝えられる。モリーナはバレンティンに語る映画として、豹の一族、醜い顔、ゾンビといった「異様な者と出会う物語」を選んだ。彼が女装癖のある同性愛者であり、マジョリティの異性愛者には自分が異様な者に思えるだろうと意識したうえでの選択に違いない。モリーナは、異様な者が抱える哀しみをバレンティンに話し、共感を得ていく。なかでも、作中で真っ先にとりあげられ、内容がたっぷり語られる『キャット・ピープル』は、強い印象を残す。

体調を崩し下痢で体を汚したバレンティンをモリーナが世話するなどしているうちに、互いの距離は縮まっていく。その過程でバレンティンが、モリーナにいう。「あんたは蜘蛛女さ、男を糸で絡め取る」(『蜘蛛女のキス』)。その喩えは、『キャット・ピープル』をはじめ、異様な者と出会う映画を語ってきたモリーナが相手だから、発せられたのだろう。心理的に接近した二人は、終盤で性的関係を結ぶ。だが、モリーナは、バレンティンが属する組織の情報を得たら釈放すると、秘密警察側から持ちかけられていた。バレンティンの方には、釈放後のモリーナに仲間との連絡を依頼したい思惑があった。『エム・バタフライ』のスパイ行為が一方的なものだったのとは違い、『蜘蛛女のキス』は騙しあいの構図だ。だが、それぞれ目的意識を抱えていたとはいえ、モリーナの示した愛をバレンティンが受け入れた互いの感情が嘘とは思えない。バレンティンは、異性愛者であるという本来の属性を越えて、モリーナの同性愛に応じる。彼には予想外のことだったはずだが、『エム・バタフライ』のガリマールのように騙されたのではなく、自ら選んだのだ。蜘蛛女という魅惑的で異様な者のイメージは、その越境を象徴している。
ただ、プイグの小説に蜘蛛女が実体として登場することはない。バレンティンのセリフで言葉としていわれるのと、彼が最後に見る夢のなかに現れるのみだ。ストレートプレイの舞台のためにプイグが書いた脚本でも、モリーナに『キャット・ピープル』のストーリーを語らせていたが、先に触れたように映画版、ミュージカル版では、彼が語るのは実在の映画ではなく架空の映画であり、そのなかに蜘蛛女が登場する趣向だった。ミュージカル版では、獄中で語られる映画の幻想としてオーロラという女優と蜘蛛女が、たびたび舞台上に現れる。いずれもモリーナの分身ととらえられ、前者は希望、後者は死の暗喩となる。蜘蛛女について、ミュージカルのタイトル曲は次のように歌う。

遅かれ早かれ　あなたは成功するでしょう
手下たちは敬礼し　「イエス！」としかいわない
でも　あなたは本当は無力　霧のように消えていく
一度でも彼女にキスされたら

月は陰っていく
潮は引く
息は速まり　あなたはもがくのに
ヴェルヴェットのマントを着た

蜘蛛女の巣に捕らえられている
走るがいい　叫べばいい　隠れるがいい
でも　あなたは逃げられない
（フレッド・エッブ作詞、ジョン・カンダー作曲「蜘蛛女のキス」。筆者訳）

釈放後、バレンティンの依頼を実行したゆえにモリーナは撃たれてしまう。その死は、映画の幻想に入りこんだ彼が、蜘蛛女とキスした時に訪れる。同舞台のエンディングは、エリザベートがトートとキスして息絶える『エリザベート』と似た趣向である。原作では、男とキスをすると自分が黒豹に変身し相手を殺してしまうのではないかと恐れる『キャット・ピープル』の女性主人公が、モリーナとバレンティンの関係に大きな影を落としていた。その黒豹女の幻想は、ミュージカル版で蜘蛛女へ置き換えられたわけである。原作のモリーナが語った『キャット・ピープル』のもとの映画（一九四二年。ジャック・ターナー監督）を見ると、女が黒豹になった姿は映されず、変身の怪現象が作中で実際に起きているのか、彼女の妄想にすぎないのか、どちらとも解釈可能だった。それに対し『蜘蛛女のキス』の場合、いずれのヴァージョンでも蜘蛛女は幻想の存在と位置づけられる。だが、黒豹女や蜘蛛女の幻想は、女装の同性愛者と革命を目指す異性愛者という住む世界が違う者同士が、好意を交わす過程でステップボードとなった。幻想は恐ろしいと同時に魅惑的であり、互いの壁を越える力を生んだのだ。タイトル曲は、その力を表現している。

『蜘蛛女のキス』では政治思想やジェンダーの差異が焦点化されたが、それ以外にも人間同士の差異には、身分、人種、美醜、信仰など様々なものがある。同作は、本書で論じてきたような「異様な者と出会う物語」が、そうした落差を埋める幻想として召喚され、楽しまれてきたことを示しているのだ。

作品リスト

［小説］
マヌエル・プイグ『蜘蛛女のキス』1976年

［戯曲］
ウィリアム・シェイクスピア『ロミオとジュリエット』1595年前後

ジョージ・バーナード・ショー『ピグマリオン』1913年

デイヴィッド・ヘンリー・ウォン『M. バタフライ』1988年

［映画］
ロバート・ワイズ＋ジェローム・ロビンズ監督『ウエスト・サイド物語』1961年
出演：ナタリー・ウッド、リチャード・ベイマー

スティーヴン・スピルバーグ監督『ウエスト・サイド・ストーリー』2021年
出演：アンセル・エルゴート、レイチェル・ゼグラー

ジョー・ライト監督『シラノ』2021年
出演：ピーター・ディングレイジ、ヘイリー・ベネット

ウォルター・ラング監督『王様と私』1956年
出演：デボラ・カー、ユル・ブリンナー

ロバート・ワイズ監督『サウンド・オブ・ミュージック』1965年
出演：ジュリー・アンドリュース、クリストファー・プラマー

ジョージ・キューカー監督『マイ・フェア・レディ』1964年
出演：オードリー・ヘプバーン、レックス・ハリソン

ウィリアム・ワイラー監督『コレクター』1965年
出演：テレンス・スタンプ、サマンサ・エッガー

レオス・カラックス監督『アネット』2021年
出演：アダム・ドライバー、マリオン・コティヤール

トッド・フィリップス監督『ジョーカー』2019年
出演：ホアキン・フェニックス、ロバート・デ・ニーロ

デイヴィッド・クローネンバーグ監督『エム・バタフライ』1993年
出演：ジェレミー・アイアンズ、ジョン・ローン

ジャック・ターナー監督『キャット・ピープル』1942年
出演：シモーヌ・シモン、ケント・スミス

エクトール・バベンコ監督『蜘蛛女のキス』1985年
出演：ウィリアム・ハート、ラウル・ジュリア

［ミュージカル］
レナード・バーンスタイン作曲、スティーヴン・ソンドハイム作詞
『ウエスト・サイド・ストーリー』1957年

クロード＝ミシェル・シェーンベルク作曲、
アラン・ブーブリル＋リチャード・モルトビーJr.作詞
『ミス・サイゴン』1989年

ジョン・カンダー、フレッド・エッブ作詞作曲
『蜘蛛女のキス』1991年

［オペラ］
ジャコモ・プッチーニ『蝶々夫人』1904年

あとがき

本書『物語考　異様な者とのキス』の構想の出発点は、一九九七年にさかのぼる。劇団四季『オペラ座の怪人』を観劇し、その面白さを論じてみたいと思ったのだ。

とはいえ、当時は紙パルプ関係の業界誌記者をしながら、ロック・ミュージック関係の原稿のほか、映画や小説などのコラムを少々書いているだけだった。『オペラ座の怪人』論を書いたとしても、発表する場所がない。そこで見つけたのが、東京創元社が催していた今はなき創元推理評論賞である。その頃、同社が発行していた雑誌「創元推理」には同賞受賞作が掲載されることになっていた。これだとひらめいた。『オペラ座の怪人』の原作者ガストン・ルルーは、江戸川乱歩も評価した密室ミステリ小説の古典『黄色い部屋の謎』の作者でもある。その点を踏まえれば、ミステリ評論を募集する創元推理評論賞に『オペラ座の怪人』論を投稿することも可能ではないか。しかし、応募するのであれば、一九一〇年代に発表されたこの古めかしい作品を一九九〇年代後半になって語る現代的意義を書かねばならないと考えた。

その際、思い浮かんだのが、同時代の本格ミステリ小説で評価が高かった綾辻行人の作品だ。綾辻の『館』シリーズの二作目『水車館の殺人』（一九八八年）には、事故で負った顔の傷を仮面で隠した男と美少女という『オペラ座の怪人』的な組みあわせが登場したのである。両作には、三連水車がある館、地底湖のあるオペラ座という特異な建物を舞台とする共通点もあり、その対比を軸に論をまとめようとメモをとっていった。ところが、ふと気づくと『オペラ座の怪人』についてのメモより、『館』シリーズのメモの方がはるかに多くなっている。このため、『オペラ座の怪人』論ではなく「シングル・ルームとテーマパーク――綾辻行人『館』論」として原稿をまとめて応募し、一九九九年に第六回創元推理評論賞を受賞したのだった。

受賞は私が文芸評論の仕事を増やす契機になったが、ミステリ評論集『「謎」の解像度――ウェブ時代の本格ミステリ』（二〇〇八年）に「シングル・ルームとテーマパーク」を収録する際、ほかの作家論とのバランスもあって、もとは四百字詰め換算で九十枚以上あった原稿を七十枚強にまで削った。削除したなかには『オペラ座の怪人』に触れたわずかな部分も含まれていたのである。判断は今でも正しかったと思ってはいるが、執筆動機の出発点の痕跡が失われたことに寂しさがなくはなかった。

その後、『美女と野獣』、『エリザベート』、『ノートルダムの鐘』、『リトル・マーメイド』など、本書でとりあげた作品のミュージカルや様々なアダプテーションに触れるうちに、やはり『オペラ座の怪人』から興味を持った「異様な者と出会う物語」について論じないではいられないと思い、紆余曲折の末、今回の評論の執筆に至った。

本書は、以下の既発表原稿を加筆修正のうえ、本文のなかに組みこんでいる。それ以外は、書き下ろしである。

第二章
「『ノートルダムの鐘』の壁」『ウィッチンケア』第八号（多田洋一編集・発行。二〇一七年）

第三章
「『オペラ座の怪人』の仮面舞踏会」『ウィッチンケア』第七号（多田洋一編集・発行。二〇一六年）
「『オペラ座の怪人』のキス」『CRITICA』第十一号（探偵小説研究会編著。二〇一六年）

終章
「〈今年見たミュージカル映画をめぐって1〉『ウエスト・サイド・ストーリー』の男女」『ちくま』二〇二二年八月号（筑摩書房）
「〈今年見たミュージカル映画をめぐって2〉『シラノ』の美醜」『ちくま』二〇二二年九月号（筑摩書房）
「〈今年見たミュージカル映画をめぐって3〉『アネット』の子ども」『ちくま』二〇二二年十月号（筑摩書房）
「夜明けの紅い音楽箱・第三十三回　マヌエル・プイグ『蜘蛛女のキス』」『ジャーロ』第七十七号（光文社。二〇二一年）

これら以外にも、本書には収録しなかったが、醜い顔と仮面というモチーフで共通する『オペラ座の怪人』、江戸川乱歩『吸血鬼』（および乱歩名義だが代作者による同作の少年向け書き換え作品『地獄の仮面』）、横溝正史『犬神家の一族』、安部公房『他人の顔』を比較考察した「仮面の男――ガストン・ルルー、江戸川乱歩、横溝正史、安部公房」を探偵小説研究会編著『CRITICA』第十六号（二〇二一年）に発表していることを付記する。

『物語考　異様な者とのキス』は、ディストピアの出口を主題として二〇二三年末に刊行した『ポスト・ディストピア論――逃げ場なき現実を超える想像力』（青土社）と並行して執筆された。本書では人間と異様な者との恋愛を主題としつつ、彼らをとり巻く群衆の狂気、ジェンダーの問題などにも触れた。群衆やジェンダーのテーマについては『ポスト・ディストピア論』でも考察しており、その面では呼応する要素があることをお伝えしておく。

また、本書は、異様な者が登場する代表的な六つのストーリーをとりあげ、それらの語られ方がいかに変化したかを追いつつ考察する内容である。そこではストーリーの複数のヴァリエーションに言及しているが、アダプテーションのすべてを網羅しようとするものではないことをお断りしておく。例えば、ディズニーの諸作に関しては、長編映画ほどの規模ではない小品の映像の続編やスピンオフ、悪役（ヴィラン）を主役にした外伝小説などもしばしば発表されている。ディズニー以外の物語に関しても、本書でとりあげた以外の映画やドラマ、小説が存在するほか、『金田一少年の事件簿』シリーズが『オペラ座の怪人』のモチーフをとり入れ「オペラ座館殺人事件」のエピソードを設けたように、別作品へのとりこみも行われている。今回は考察の対象を主要なアダプテーションに絞りこんだが、機会があれば今回とりあげられなかったものについても語ってみたい。

前記の通り、二冊分並行しての執筆となり、当初予定より作業が遅れてしまったが、ようやく完成できてほっとしている。具体的な本の形にするために尽力してくれた作品社の倉畑雄太氏に感謝する。

執筆中は、論じた物語のミュージカルや映像版の音楽をよく聴いた。また、本書の興味の焦点である恐怖と畏怖をもたらす「異様な者とのキス」に関しては、ゴシック・ロックの代表的アルバムであるスージー＆ザ・バンシーズ『A Kiss In The Dreamhouse』（一九八二年。なかでも「滝のように落ちる　愛を失った犠牲者」を歌った「Cascade」と「溶けなさい」と恋人に命ずる「Melt!」）、ザ・キュアー『Kiss Me, Kiss Me, Kiss Me』（特にタイトルのフレーズを叫びつつ「死んでしまえばいいのに」と呪詛する「The Kiss」）にイメージを喚起されるところが大きかった。この評論でキーになる曲、執筆中に愛聴した曲は、Spotifyにプレイリスト「異様な者とのキス」としてまとめている。本書を読む際のサウンドトラックとして聴いていただきたい（次頁にQRコードを掲載）。

『オペラ座の怪人』のミュージカルを観なければ、この評論を構想することはなかっただろう。結婚前年の二十七年前に同作の舞台へと誘ってくれた妻が、執筆のきっかけを作ったといえる。東京ディズニーリゾートのある千葉県浦安市で彼女と暮らしてきたことが、『美女と野獣』、『リトル・マーメイド』、『アナと雪の女王』といったディズニーミュージカルに親しむ一因となったのは間違いない。本書を愛する妻に捧げる。

二〇二四年六月三日　浦安にて

Spotify プレイリスト
「異様な者とのキス」

参考文献

山内淳監修『西洋文学にみる異類婚姻譚』（小鳥遊書房、二〇二〇年）
ナサリア・ホルト『アニメーションの女王たち――ディズニーの世界を変えた女性たちの知られざる物語』（石原薫訳、フィルムアート社、二〇二一年）
荻上チキ『ディズニープリンセスと幸せの法則』（星海社新書、二〇一四年）
清水知子『ディズニーと動物――王国の魔法をとく』（筑摩書房、二〇二一年）
高橋ヨシキ『暗黒ディズニー入門』（コア新書、二〇一七年）

第一章

ガブリエル゠シュザンヌ・ド・ヴィルヌーヴ『美女と野獣　オリジナル版』（藤原真実訳、白水社、二〇一六年）

ボーモン夫人『美女と野獣』（村松潔訳、新潮文庫、二〇一七年）
ベッツィ・ハーン『美女と野獣――テクストとイメージの変遷』（田中京子訳、新曜社、一九九五年）
『ジャン・コクトー全集』第八巻（東京創元社、一九八七年）
ジャン・コクトー『美女と野獣』（釜山健訳、創元ライブラリ、一九九五年）
アープレーイユス『黄金の驢馬』（呉茂一＋国原吉之助訳、岩波文庫、二〇一三年）
ブルーノ・ベッテルハイム『昔話の魔力』（波多野完治＋乾侑美子訳、評論社、一九七八年）
A・L・シンガー『美女と野獣』（寺山智佳子訳、扶桑社、一九九六年）
高橋基治英文解説監修『英語シナリオで楽しむ美女と野獣』（学研プラス、二〇一七年）
エリザベス・ルドニック『美女と野獣』（橘高弓枝訳、偕成社、二〇一七年）

第二章

ユゴー『ノートル＝ダム・ド・パリ』上下（辻昶＋松下和則訳、岩波文庫、二〇一六年）
鹿島茂『NHK「100分de名著」ブックス　ユゴー　ノートル＝ダム・ド・パリ　大聖堂物語』（NHK出版、二〇一九年）
『ヴィクトル・ユゴー文学館　第十巻　クロムウェル・序文　エルナニ』（西節夫＋杉山正樹訳、潮出版社、二〇〇一年）
ロスタン『シラノ・ド・ベルジュラック』（渡辺守章訳、光文社古典新訳文庫、二〇〇八年）
バーナード・ポメランス『エレファント・マン』（山崎正和訳、河出書房新社、一九八一年）

池内智佳子『ノートルダムの鐘』（扶桑社、一九九六年）
渡辺諒『フランス・ミュージカルへの招待』（春風社、二〇一二年）

第三章

ガストン・ルルー『オペラ座の怪人』（平岡敦訳、光文社古典新訳文庫、二〇一三年）
ミッシェル・カルージュ『独身者の機械――未来のイヴ、さえも……』（高山宏＋森永徹訳、ありな書房、一九九一年）
ロバート・L・スティーヴンソン『ジキルとハイド』（田口俊樹訳、新潮文庫、二〇一五年）
シェリー『フランケンシュタイン』（小林章夫訳、光文社古典新訳文庫、二〇一〇年）
スーザン・ケイ『ファントム』上下（北條元子訳、扶桑社ミステリー、一九九四年）
F・フォーサイス『マンハッタンの怪人』（篠原慎訳、角川文庫、二〇〇二年）
高橋ヨシキ『悪魔が憐れむ歌――暗黒映画入門』（ちくま文庫、二〇二一年）

第四章

フケー『水の精（ウンディーネ）』（識名章喜訳、光文社古典新訳文庫、二〇一六年）
ジロドゥ『オンディーヌ』（二木麻里訳、光文社古典新訳文庫、二〇〇八年）
アンデルセン『小さい人魚姫　アンデルセン童話集　改版』（山室静訳、角川文庫、二〇一九年）
小黒康正『水の女　トポスへの船路　新装版』（九州大学出版会、二〇二一年）
山室静『アンデルセンの生涯』（新潮選書、一九七五年）

ジャッキー・ヴォルシュレガー『アンデルセン――ある語り手の生涯』（安達まみ訳、岩波書店、二〇〇五年）
酒井紀子編訳『リトル・マーメイド』（竹書房文庫、二〇〇三年）
ギレルモ・デル・トロ＋ダニエル・クラウス『シェイプ・オブ・ウォーター』（阿部清美訳、竹書房文庫、二〇一八年）
スタジオジブリ＋文春文庫編『ジブリの教科書15　崖の上のポニョ』（文春ジブリ文庫、二〇一七年）
スタニスワフ・レム『ソラリス』（沼野充義訳、ハヤカワ文庫、二〇一五年）

第五章

アンデルセン『雪の女王　アンデルセン童話集』（山室静訳、角川文庫、一九七六年）
ハンス・クリスチャン・アンデルセン『あなたの知らないアンデルセン「雪だるま」』（長島要一訳、評論社、二〇〇五年）
小野俊太郎『『アナと雪の女王』の世界』（小鳥遊書房、二〇二一年）

第六章

ミヒャエル・クンツェ＋シルヴェスター・リーヴァイ＋小池修一郎『オール・インタビューズ――ミュージカル『エリザベート』はこうして生まれた』（日之出出版、二〇一六年）
渡辺諒『『エリザベート読本』――ウィーンから日本へ』（青弓社、二〇一〇年）
藤本ひとみ『皇妃エリザベート』（講談社文庫、二〇一一年）

『ａｎ・ａｎ特別編集　ミュージカル　エリザベート　Anniversary Book 2000–2022』（マガジンハウス、二〇二二年）
池田理代子『ベルサイユのばら　愛蔵版』第一‐二巻（中央公論新社、一九八七年）
中本千晶『宝塚歌劇は「愛」をどう描いてきたか』（東京堂出版、二〇一五年）
ワイルド『サロメ』（平野啓一郎訳、光文社古典新訳文庫、二〇一二年）
『エリザベート　１８７８』日本版パンフレット

終章

小川さくえ『オリエンタリズムとジェンダー――「蝶々夫人」の系譜』（法政大学出版局、二〇〇七年）
麻生享志『『ミス・サイゴン』の世界』（小鳥遊書房、二〇二〇年）
バーナード・ショー『ピグマリオン』（小田島恒志訳、光文社古典新訳文庫、二〇一三年）
武田寿恵『日本のブロードウェイ・ミュージカル60年――プロデューサーたちはいかにしてミュージカルを輸入したのか』（小鳥遊書房、二〇二三年）
本橋哲也『深読みミュージカル――歌う家族、愛する身体　新装版』（青土社、二〇一八年）
ジョン・ファウルズ『コレクター』（小笠原豊樹訳、白水社、一九七九年）
チャールズ・ガラード『ジョン・ファウルズの小説と映画――小説と映像の視点』（江藤茂博監訳、中村真吾＋片田一義＋藤崎二郎＋榊原理枝子訳、松柏社、二〇〇二年）
デイヴィッド・ヘンリー・ウォン『M.バタフライ』（吉田美枝訳、劇書房、一九八九年）

武田悠一編『ジェンダーは超えられるか――新しい文学批評に向けて』(彩流社、二〇〇〇年)
マヌエル・プイグ『蜘蛛女のキス』(野谷文昭訳、集英社文庫、二〇一一年)
マヌエル・プイグ『蜘蛛女のキス』(野谷文昭訳、劇書房、一九九四年)